私《わたし》に翼《つばさ》をくれるなら
私《わたし》はあなたのために飛《と》ぼう

たとえば　この　大地《だいち》のすべてが
水《みず》に沈《しず》んでしまうとしても

私《わたし》に剣《つるぎ》をくれるなら
私《わたし》はあなたのために立《た》ち向《む》かおう

たとえば　この　空《そら》のすべてが
あなたを光《ひかり》で射抜《いぬ》くとしても

BLEACH 34

KING OF THE KILL

KUBOTITE

JUMP COMICS

STARS AND

朽木ルキア
クチキルキア

クロサキイチゴ
黒崎一護

イシダウリュウ
石田雨竜

plot

黒崎一護《くろさきいちご》は、死神《しにがみ》・朽木《くちき》ルキアと出会《であ》い、虚退治《ホロウたいじ》を手伝《てつだ》う事《こと》に…。やがて一護《いちご》は、尸魂界《ソウル・ソサエティ》で、ルキアの処《しょ》刑《けい》を阻止《そし》。その陰《かげ》には虚《ホロウ》の死神化《しにがみか》を謀《はか》る藍染《あいぜん》の陰謀《いんぼう》があった!! そして藍染《あいぜん》は『破面《アランカル》』を率《ひき》いて宣戦布告《せんせんふこく》!
だが、決戦《けっせん》への準備《じゅんび》の最中《さなか》、虚圏《ウェコムンド》へ姿《すがた》を消《け》した織姫《おりひめ》。救出《きゅうしゅつ》を誓《ちか》った一護達《いちごたち》は、虚夜宮《ラス・ノーチェス》で"十刃《エスパーダ》"と戦《たたか》うが、茶渡《さど》・ルキアが敗《やぶ》れ、石田《いしだ》と恋次《れんじ》はザエルアポロの餌食《えじき》に。一方《いっぽう》、ノイトラとの戦《たたか》いで、一護《いちご》の危機《きき》に直面《ちょくめん》したネルに異変《いへん》が!? 子供《こども》の姿《すがた》から元十刃《もとエスパーダ》No.3"ネリエル"に戻《もど》ったネルが、ノイトラへ戦《たたか》いを挑《いど》む…!!

BLEACH ALL

ネリエル

ザエルアポロ

ノイトラ

STORIES

BLEACH34

KING OF THE KILL

CONTENTS

296. Changed Again And Again

『羚騎士《ガミューサ》』

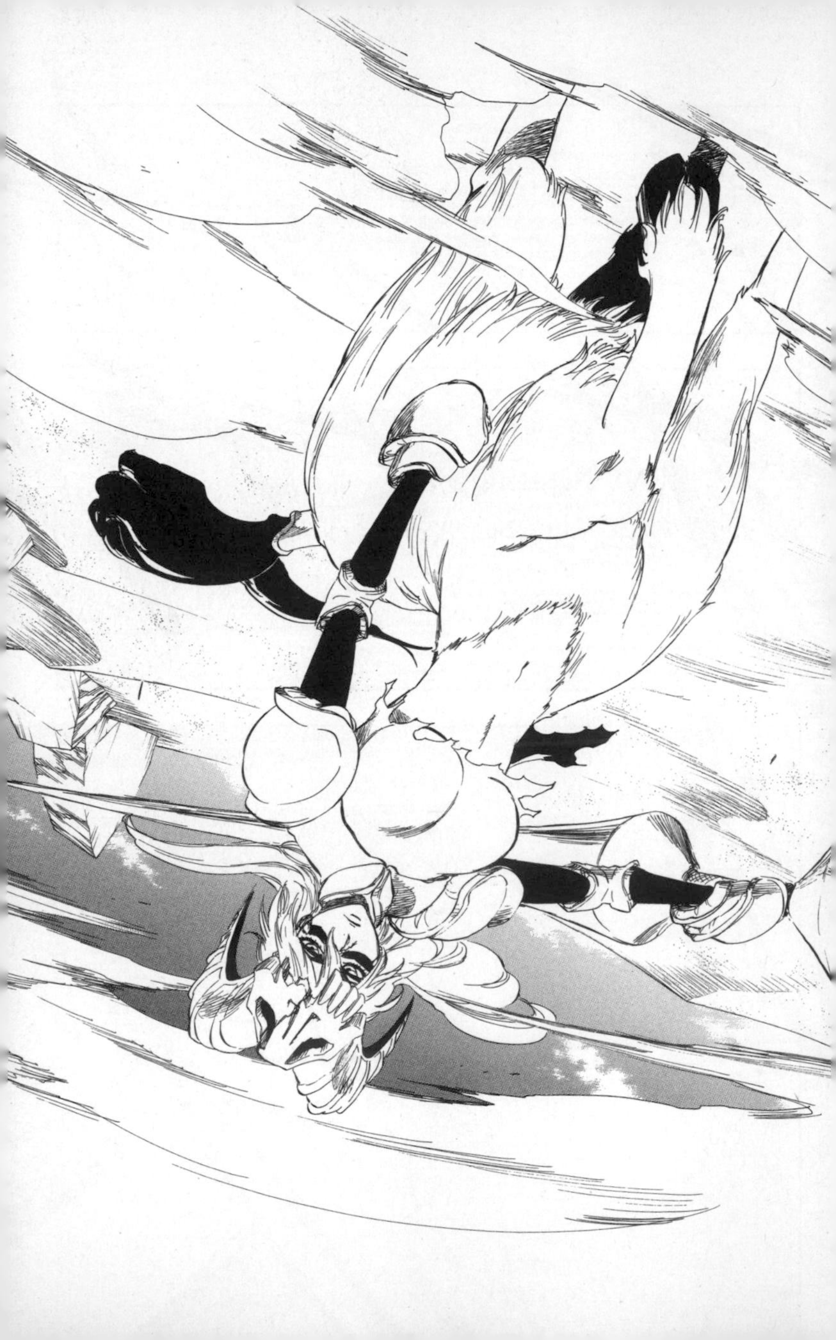

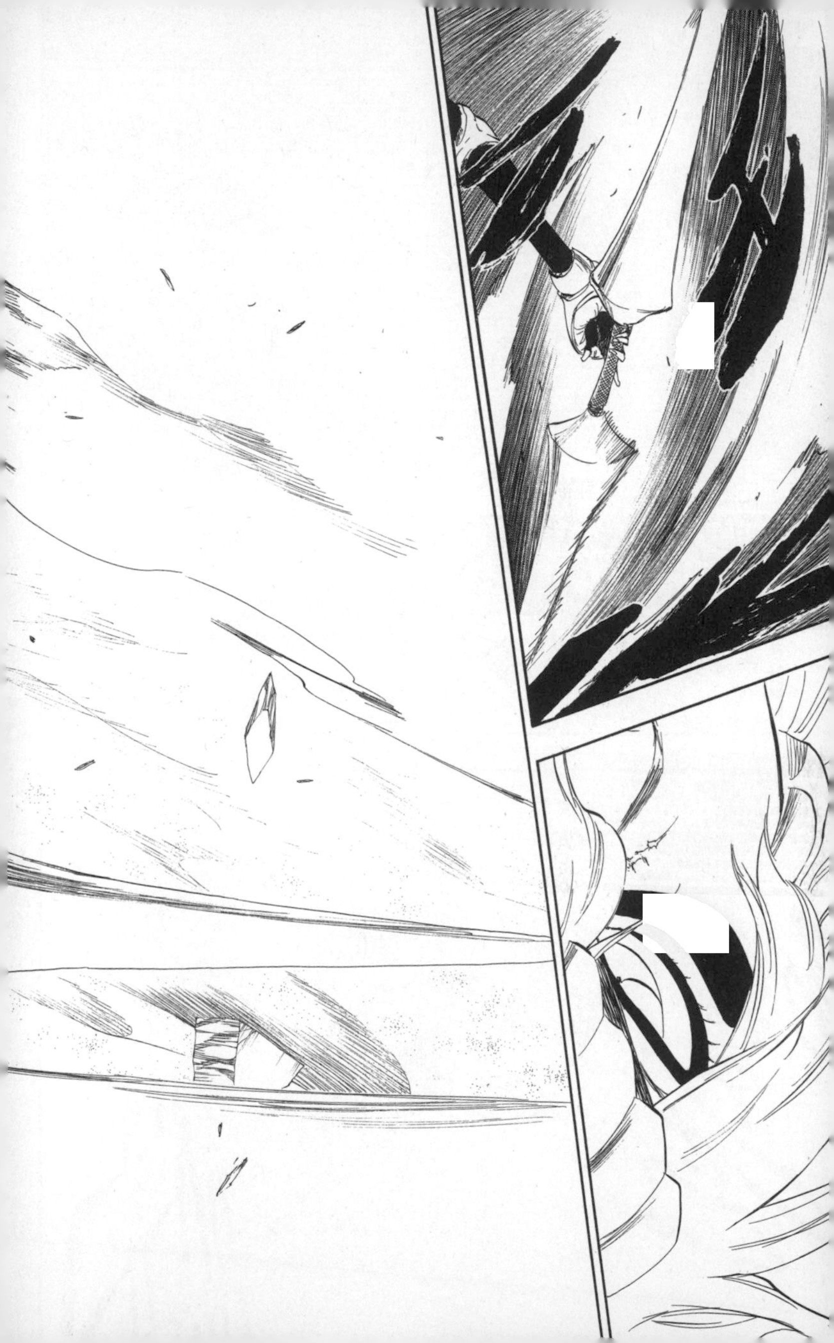

翠の射槍《ランサドール・ヴェルデ》

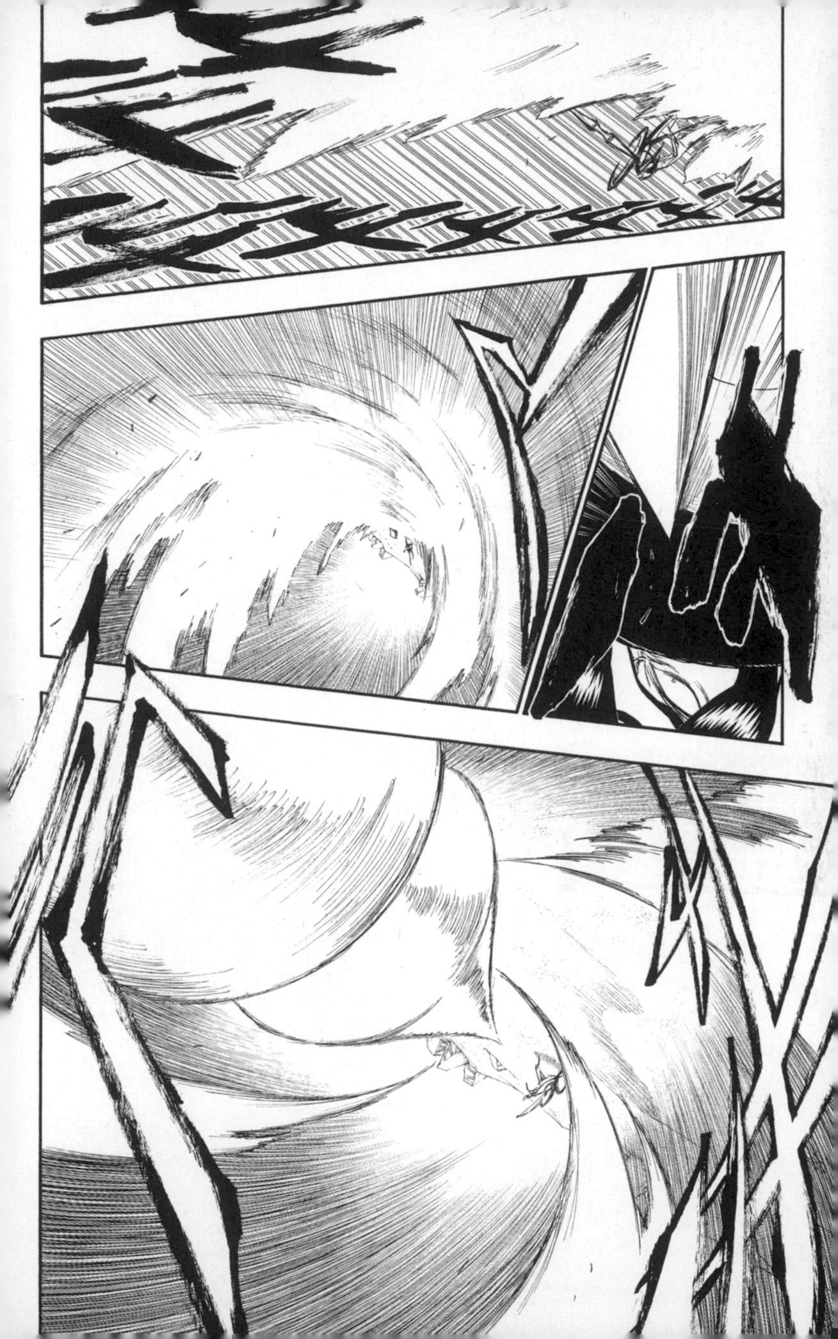

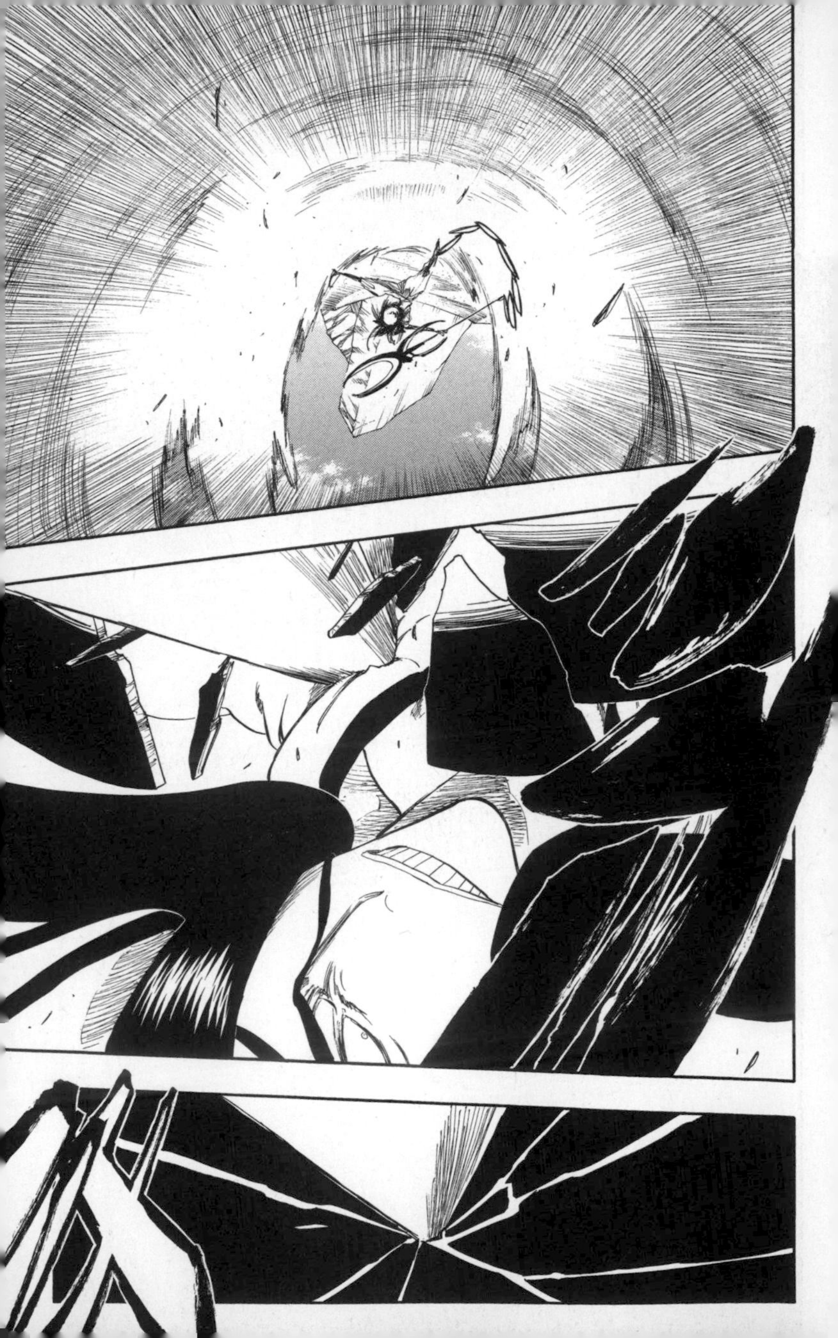

BLEACH296.

Changed Again And Again

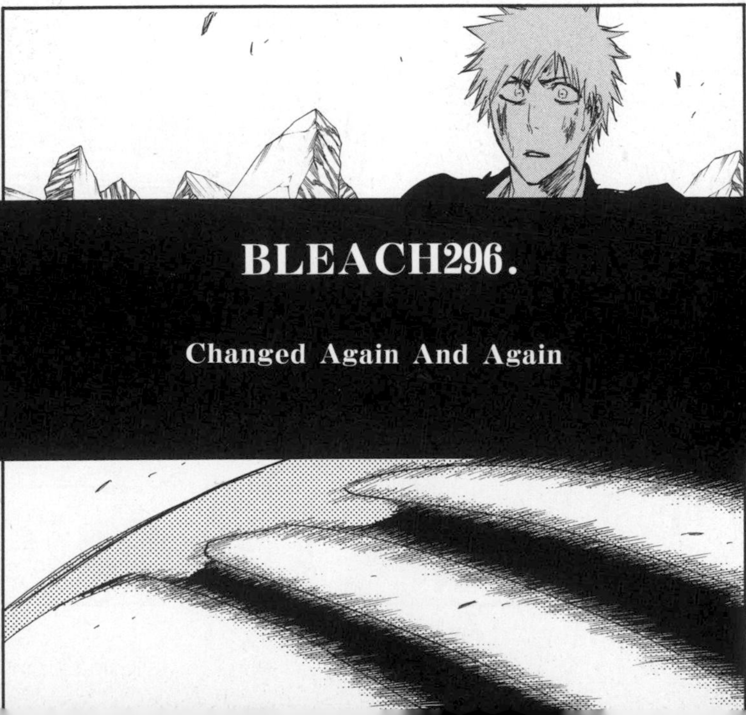

フン…
〝お前如《まえごと》きに〟
…か
随分《ずいぶん》な口《くち》を
利《き》くもんだね
従属官《フラシオン》
風《ふ》ぜ…
とうっ!!

…ちょっと待《ま》て…
お前《まえ》何《なに》を…
何《なに》を出《だ》そうとしてるんだ──!!?
うっ!?

おおっ！
あいつあの野郎《やろう》に
一太刀入《ひとたちい》れやがった!!
…………
…ちっ…
ダッ!!
見《み》たか！
これぞ我《わ》が刀《かたな》
その名《な》も「究極《ウルティマ》」!!
美《うつく》しく輝《かがや》くその刃《やいば》は
あふれ出《で》る霊子《れいし》によって
姿《すがた》を現《あらわ》す光《ひかり》の刃《やいば》!!
どうだ雨竜《うりゅう》！
親近感《しんきんかん》を
覚《おぼ》えるか!?
貴様《きさま》のナニと
よく似《に》ている
だろう!!
…似《に》てないし
「ナニと」とか
言《い》うな…
ツッコミが
小《ちい》さいわ
このフヌケ!!!

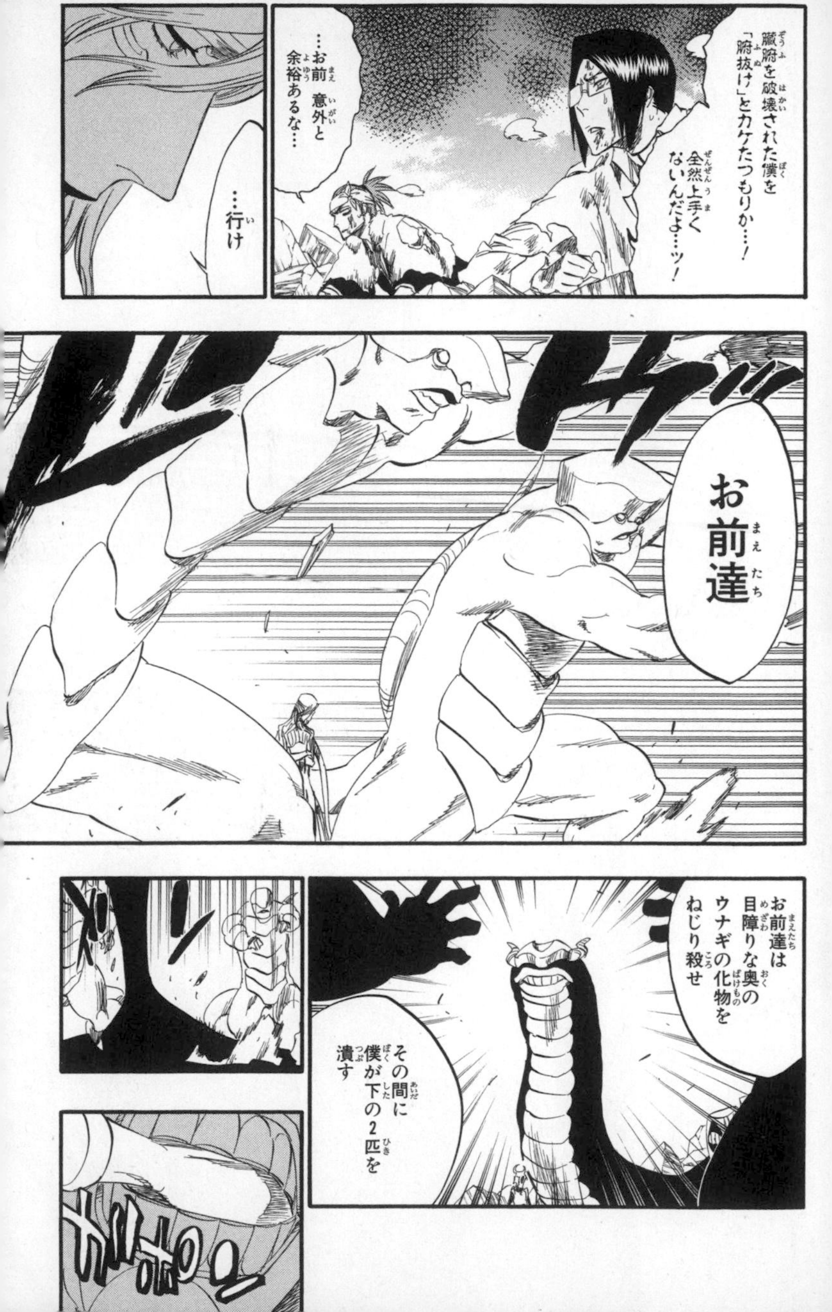
臓腑《ぞうふ》を破壊《はかい》された僕《ぼく》を「腑抜《ふぬ》け」とカケたつもりか…！
全然《ぜんぜん》上手《うま》くないんだよ…ッ！
…お前《まえ》 意外《いがい》と余裕《よゆう》あるな…
…行《い》け
お前達《まえたち》
お前達《まえたち》は目障《めざわ》りな奥《おく》のウナギの化物《ばけもの》をねじり殺《ころ》せ
その間《あいだ》に僕《ぼく》が下《した》の2匹《ひき》を潰《つぶ》す

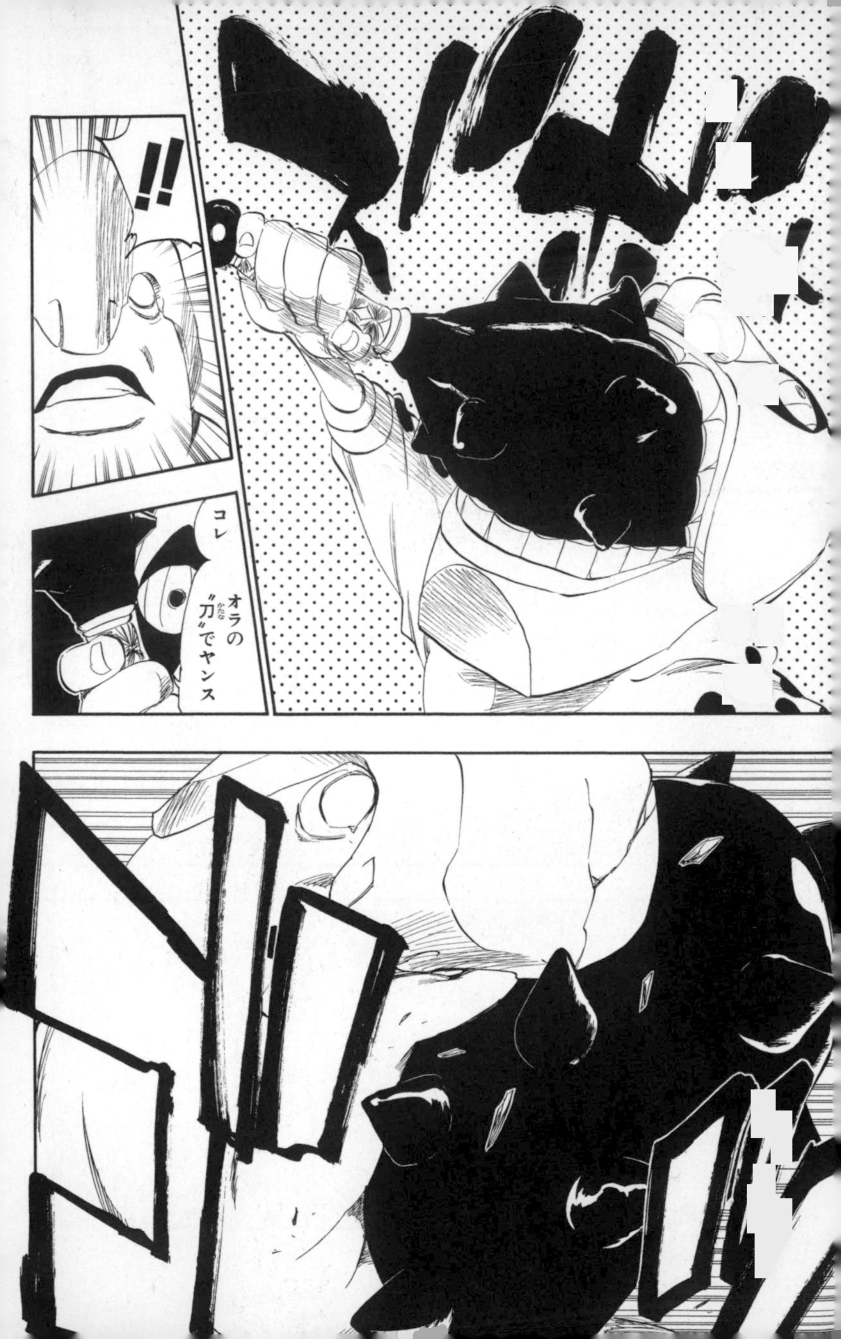
!!
コレ
オラの"刀《かたな》"でヤンス

…ザエルアポロ
お前《まえ》の敗因《はいいん》は
ただ一《ひと》つ
「かつて倒《たお》した
相手《あいて》」だと
侮《あなど》りを以《もっ》て
我等《われら》に対《たい》したことだ
我々《われわれ》はネル様《さま》を
お守《まも》りするため
常《つね》に錬磨《れんま》を
絶《た》やさなかった
今《いま》の我々《われわれ》は
かつての我々《われわれ》とは
次元《じげん》を異《こと》にする存在《そんざい》なのだ
受《う》けるがいい
そして
滅《ほろ》びろ
これが我々《われわれ》の
生《う》み出《だ》した
新《あら》たな虚閃《セロ》

融合虚閃《セロ・シンクレティコ》

終《お》わりね
ノイトラ
ガシャ…!!
…どこがだ?
…安心《あんしん》して
命《いのち》までは取《と》らないわ
…
ズル…

ぽん

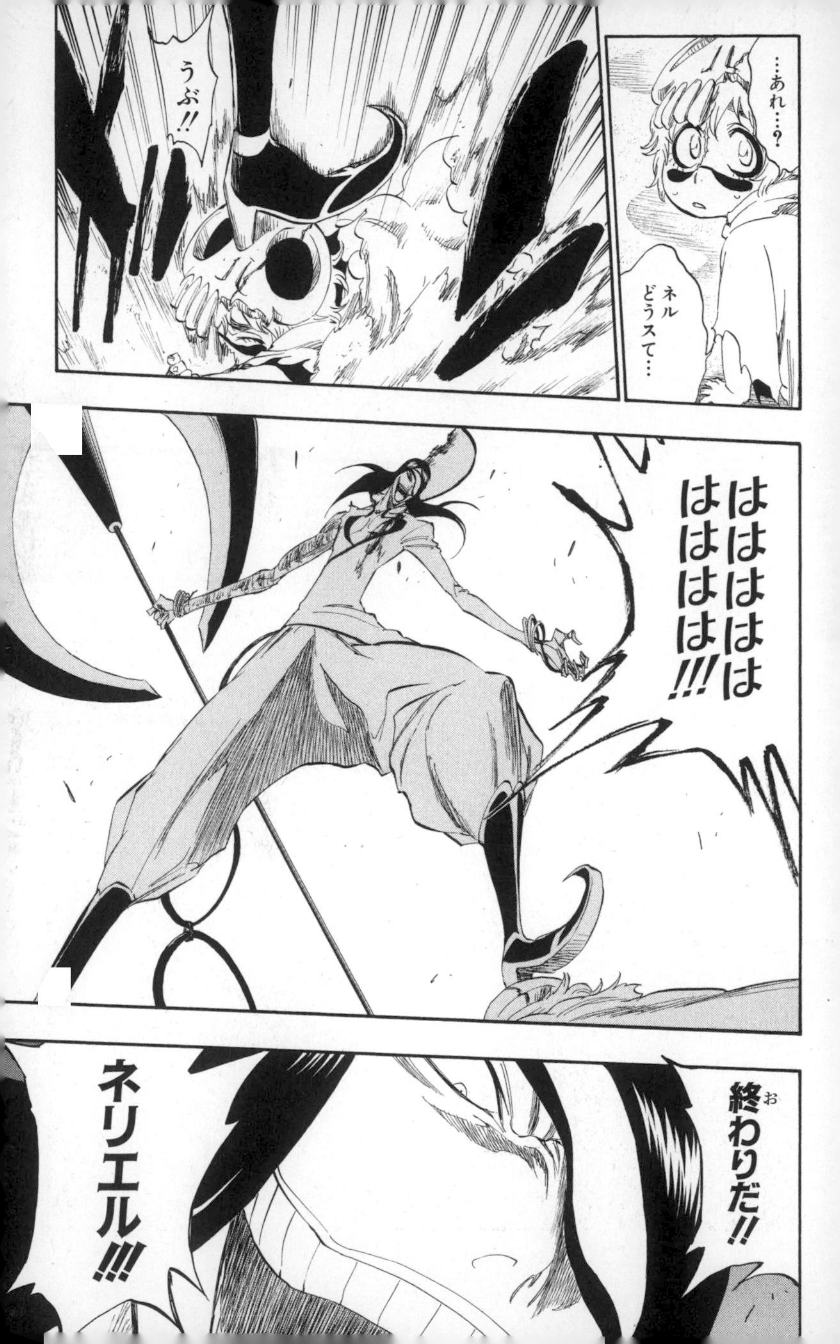
…あれ…？
ネル どうスて…
うぶ!!
はははははははは!!!
終《お》わりだ!!
ネリエル!!!

297. King of the Kill

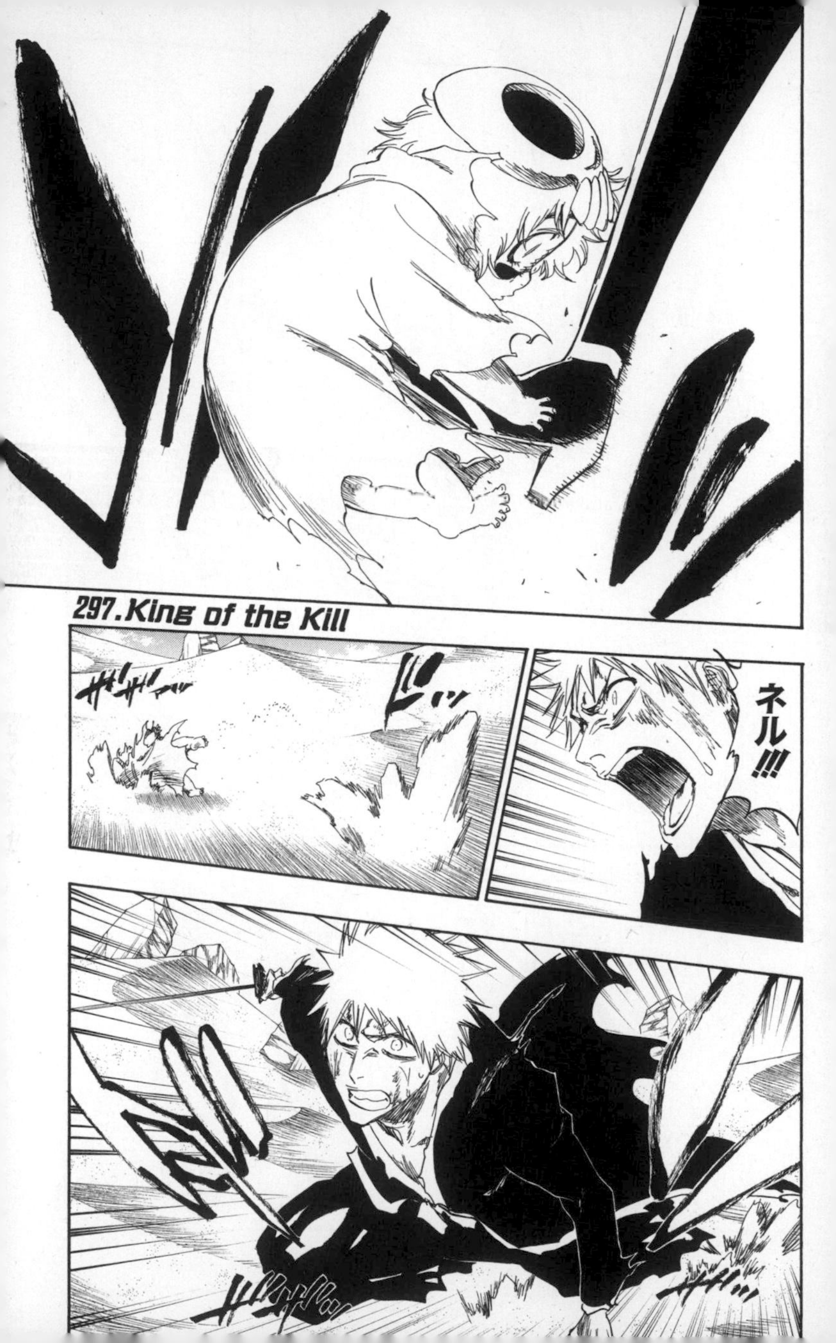

…諦《あきら》めろ
ネリエルはてめえらの最後《さいご》の光《ひかり》だった
そいつが消《き》えたんだ
てめえら全員《ぜんいん》
ここで終《お》わりなんだよ

…テスラ
代《か》わってやる
こいつはもうダメだ
好《す》きにしろ
ザッ
はい
ザッ
打《う》ち伏《ふ》せろ
『牙鎧士《ベルーガ》』

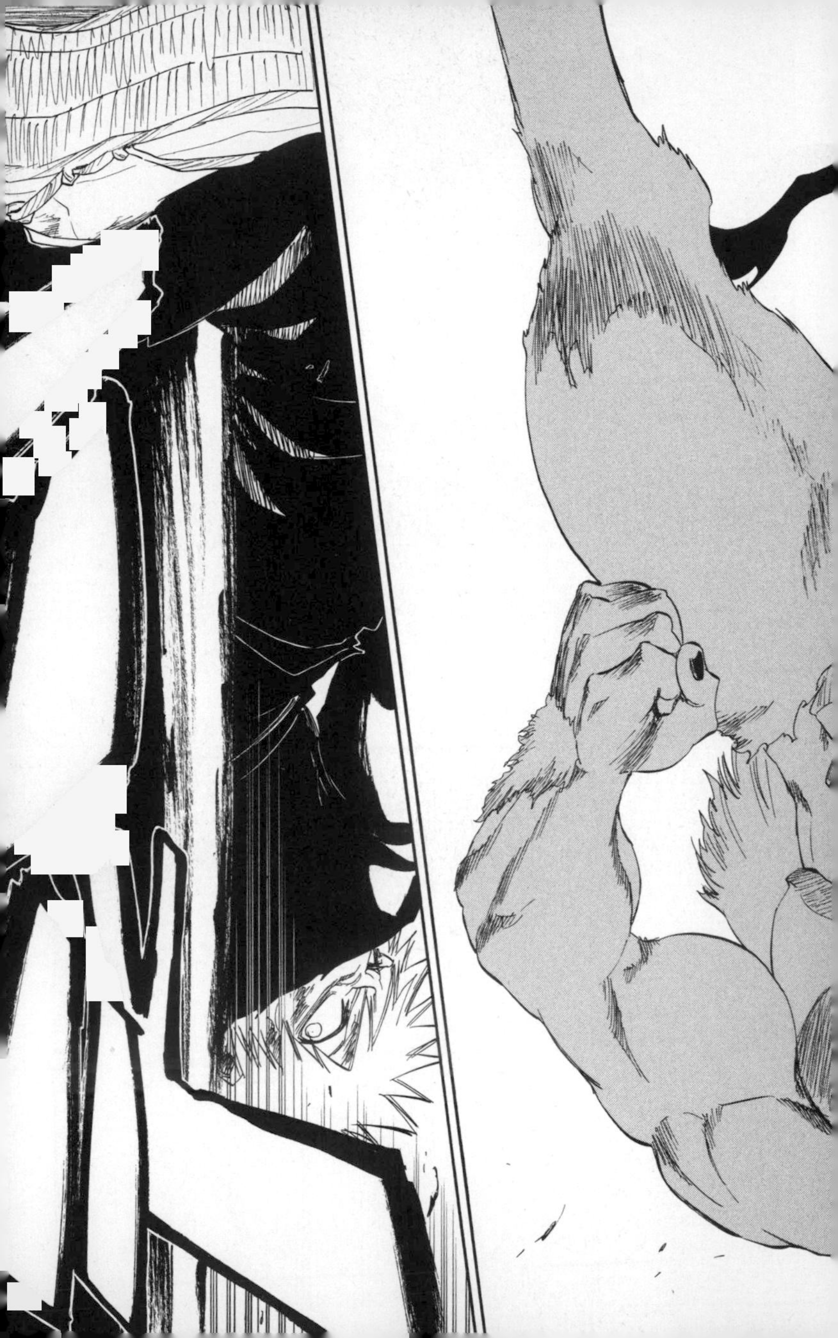

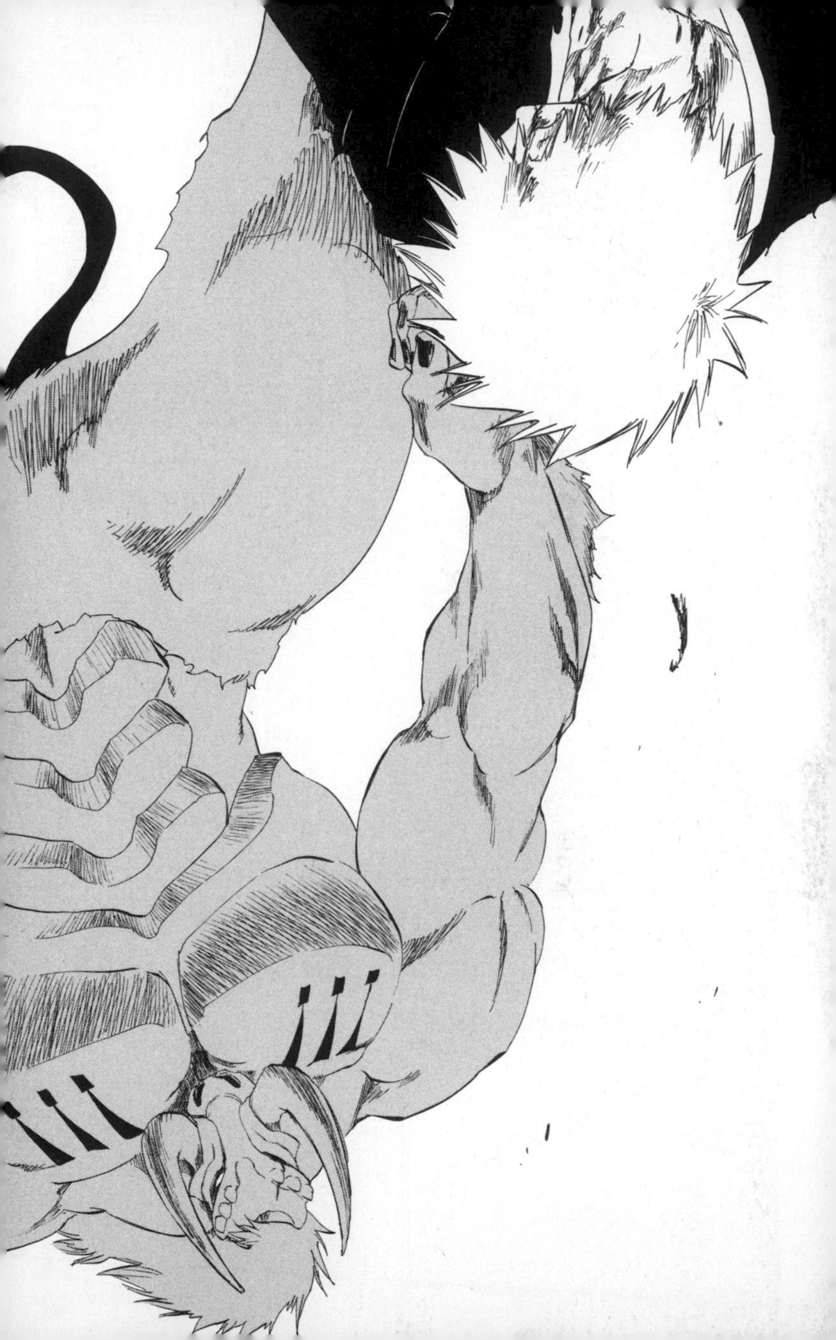

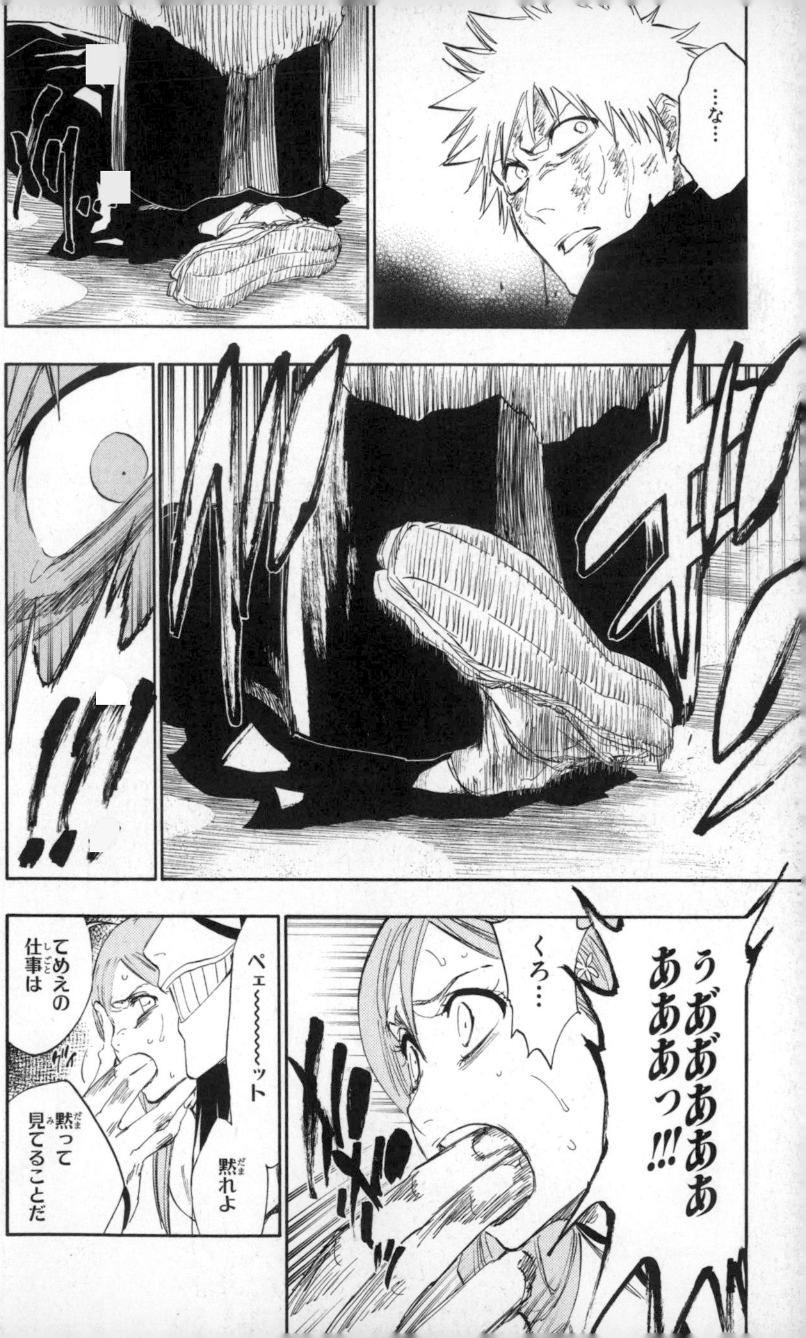

…な…
うぉあああああ
あああっ!!!
くろ…
ペェ~~~~~~ッ
黙《だま》れよ
てめえの
仕事《しごと》は
黙《だま》って
見《み》てることだ

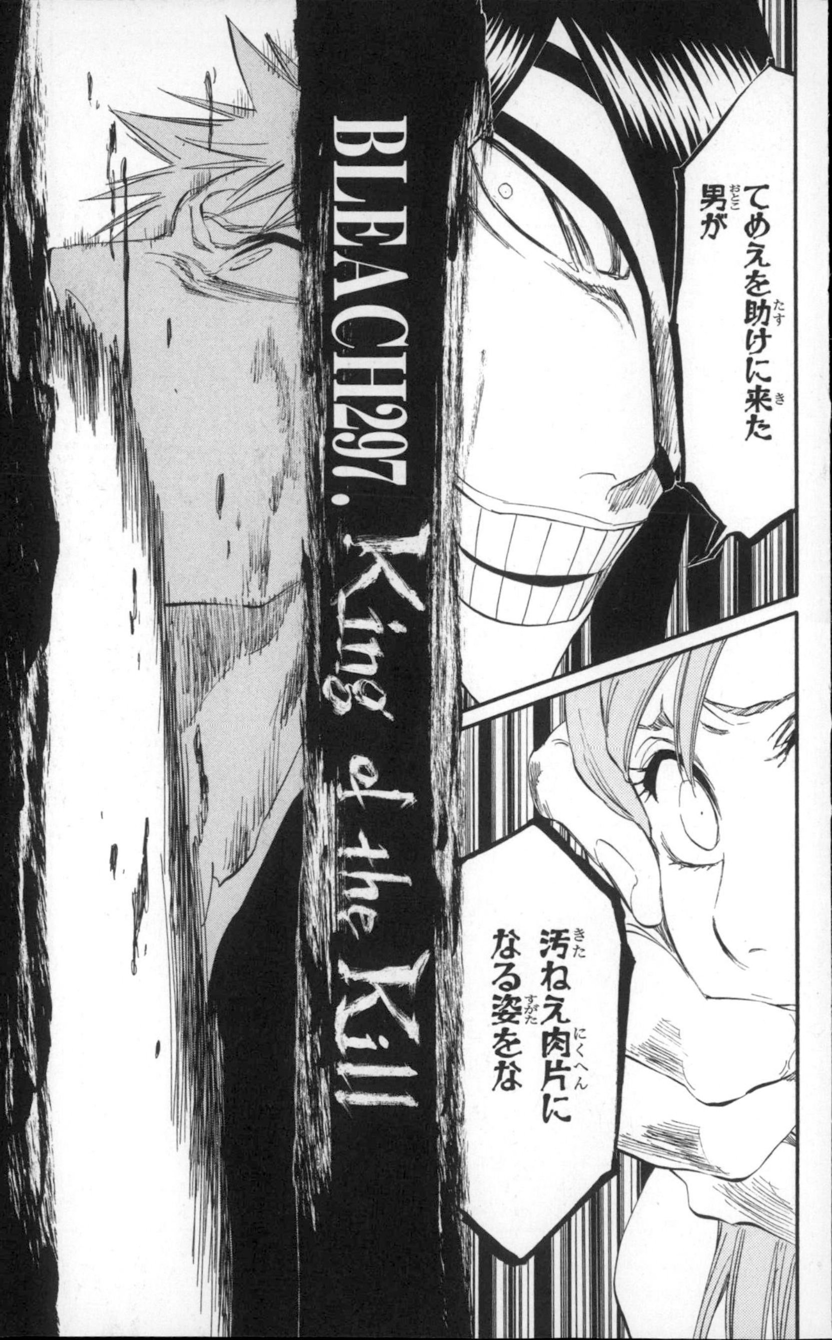
てめえを助《たす》けに来《き》た男《おとこ》が
汚《きた》ねえ肉片《にくへん》になる姿《すがた》をな
BLEACH297. King of the Kill

はっ…
はっ…
…何故《なぜ》だ…
何故《なぜ》
通用《つうよう》しない……!
「何故《なぜ》通用《つうよう》しないか」だって?
君《きみ》らが僕《ぼく》に「時間《じかん》を与《あた》え過《す》ぎた」からさ
仮面《かめん》を変《か》えたくらいで
気付《きづ》かれないと思《おも》ったのか?
気付《きづ》いていたさ
最初《さいしょ》に見《み》た瞬間《しゅんかん》から君達《きみたち》がネリエルの従属官《フラシオン》だとね

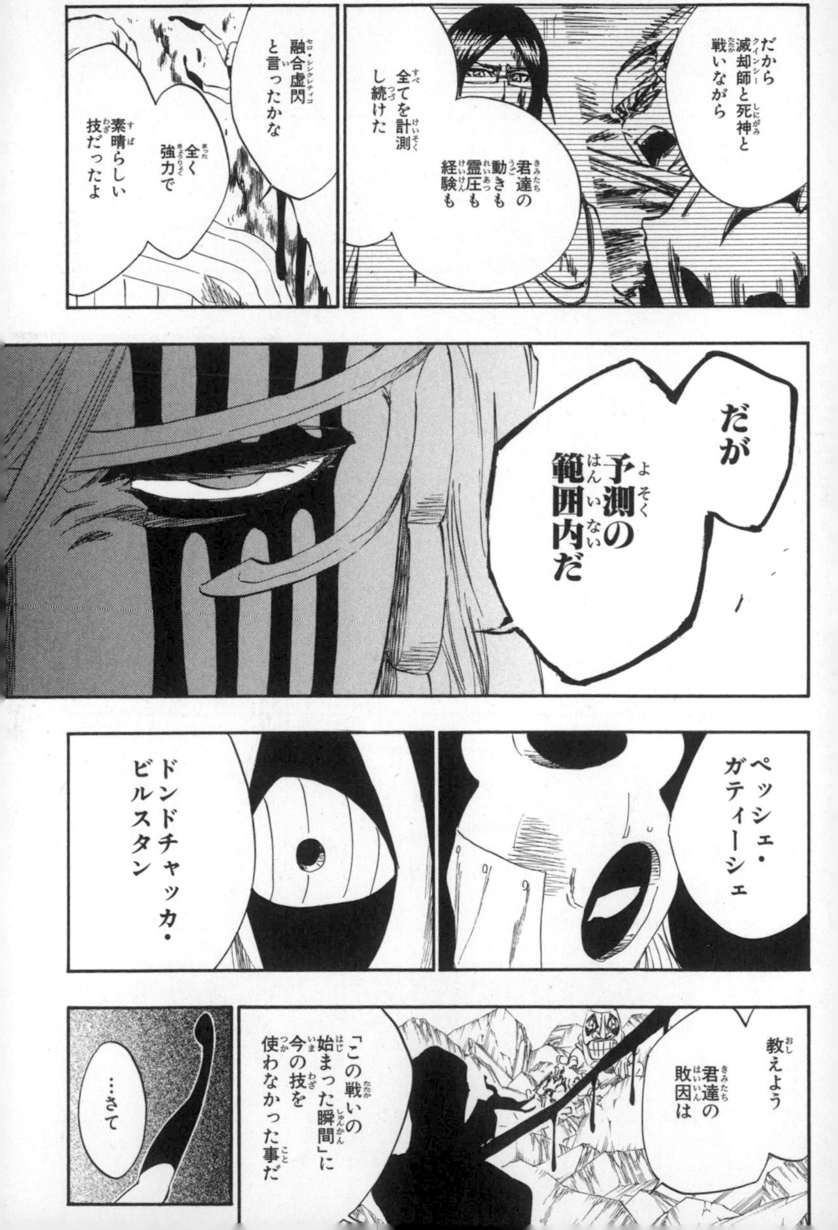
だから滅却師《クインシー》と死神《しにがみ》と戦《たたか》いながら
君達《きみたち》の動《うご》きも霊圧《れいあつ》も経験《けいけん》も
全《すべ》てを計測《けいそく》し続《つづ》けた
融合虚閃《セロ・シンクレティコ》と言《い》ったかな
全《まった》く強力《きょうりょく》で素晴《すば》らしい技《わざ》だったよ
だが予測《よそく》の範囲内《はんいない》だ
ペッシェ・ガティーシェ
ドンドチャッカ・ビルスタン
教《おし》えよう君達《きみたち》の敗因《はいいん》は
「この戦《たたか》いの始《はじ》まった瞬間《しゅんかん》」に今《いま》の技《わざ》を使《つか》わなかった事《こと》だ
…さて

〝万策《ばんさく》尽《つ》きた〞と
見《み》ても良《い》いかな？
…………
御苦労様《ごくろうさま》諸君《しょくん》
愉快《ゆかい》で冗長《じょうちょう》なこの舞台《ぶたい》も
ようやく終演《しゅうえん》を迎《むか》えられそうだ
終《お》わりにしよう
何《なに》もかも

ゆキ…ロ
アーロニーロ・アルルエリ…
第一期《だいき》〝刃《エスパーダ》〟の生き残《いのこ》りも…
最期《さいご》は無残《むざん》なものだったな…
そしてやはり…

詰《つ》めが甘《あま》い
甘《あま》いのだ 誰《だれ》も彼《かれ》も
ギギ…
生《い》きてはいまい 死《し》んだ筈《はず》だ
首《くび》をもぎ取《と》るより他《ほか》に
死《し》を確認《かくにん》する術《すべ》などありはしない
…案《あん》ずるな アーロニーロ
君《きみ》の不始末《ふしまつ》は私《わたし》が拭《ぬぐ》っておく
オオオオオオオオォ…

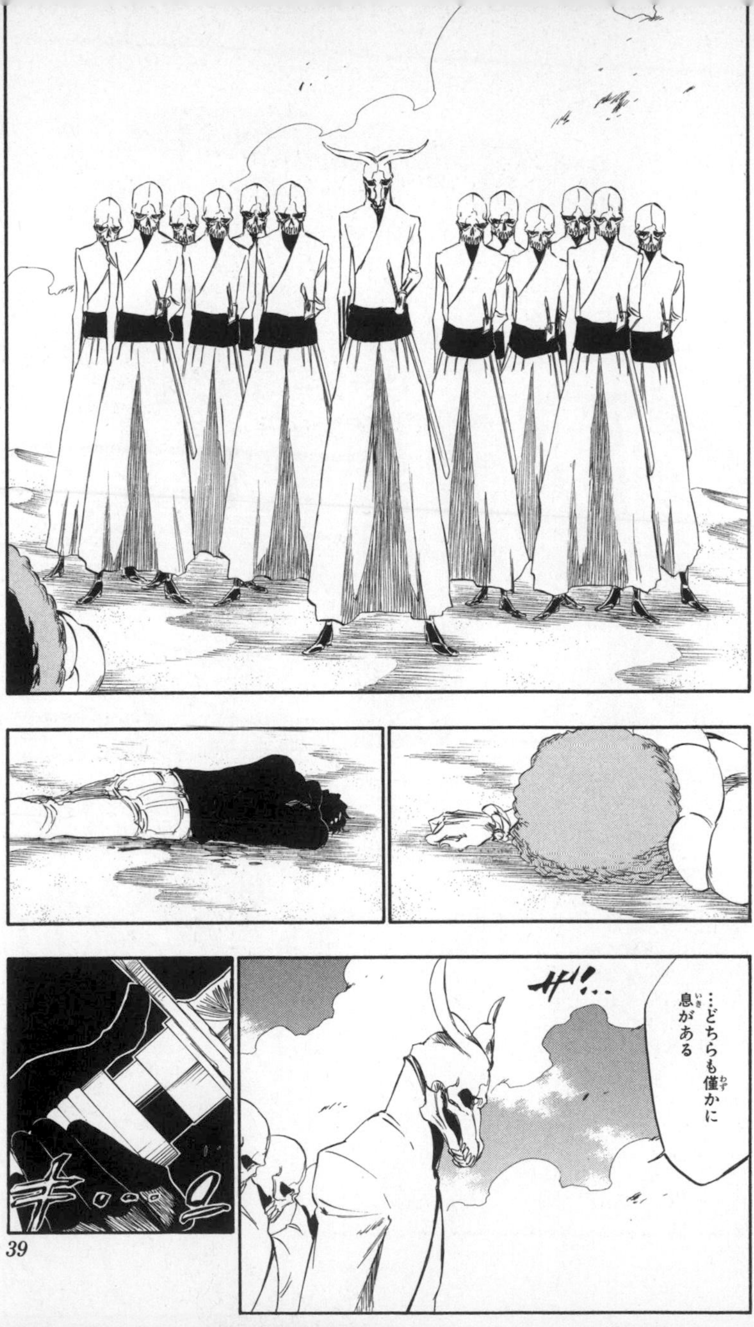

…どちらも僅《わず》かに
息《いき》がある
ザ!…
キ…ン

採取《さいしゅ》を
開始《かいし》する
ズ!!
ゴロゴロ

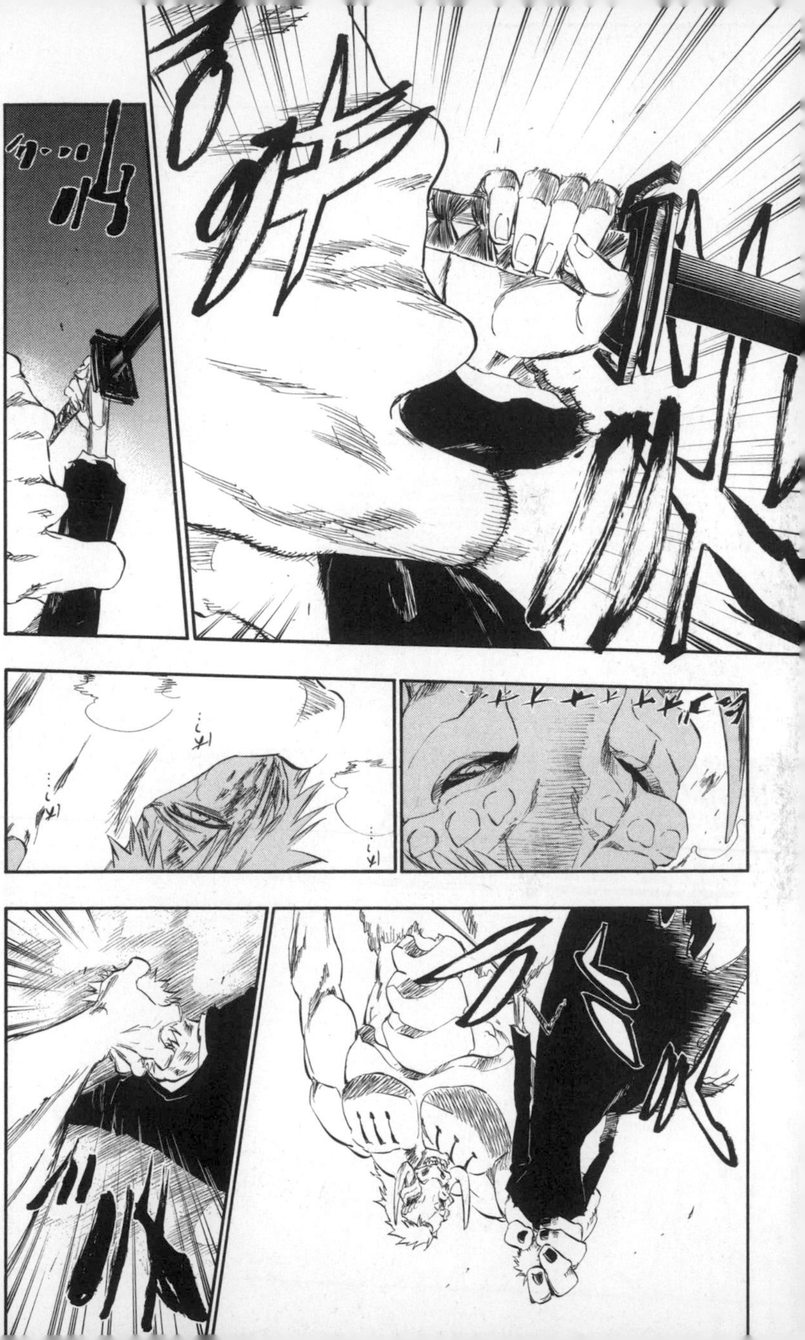

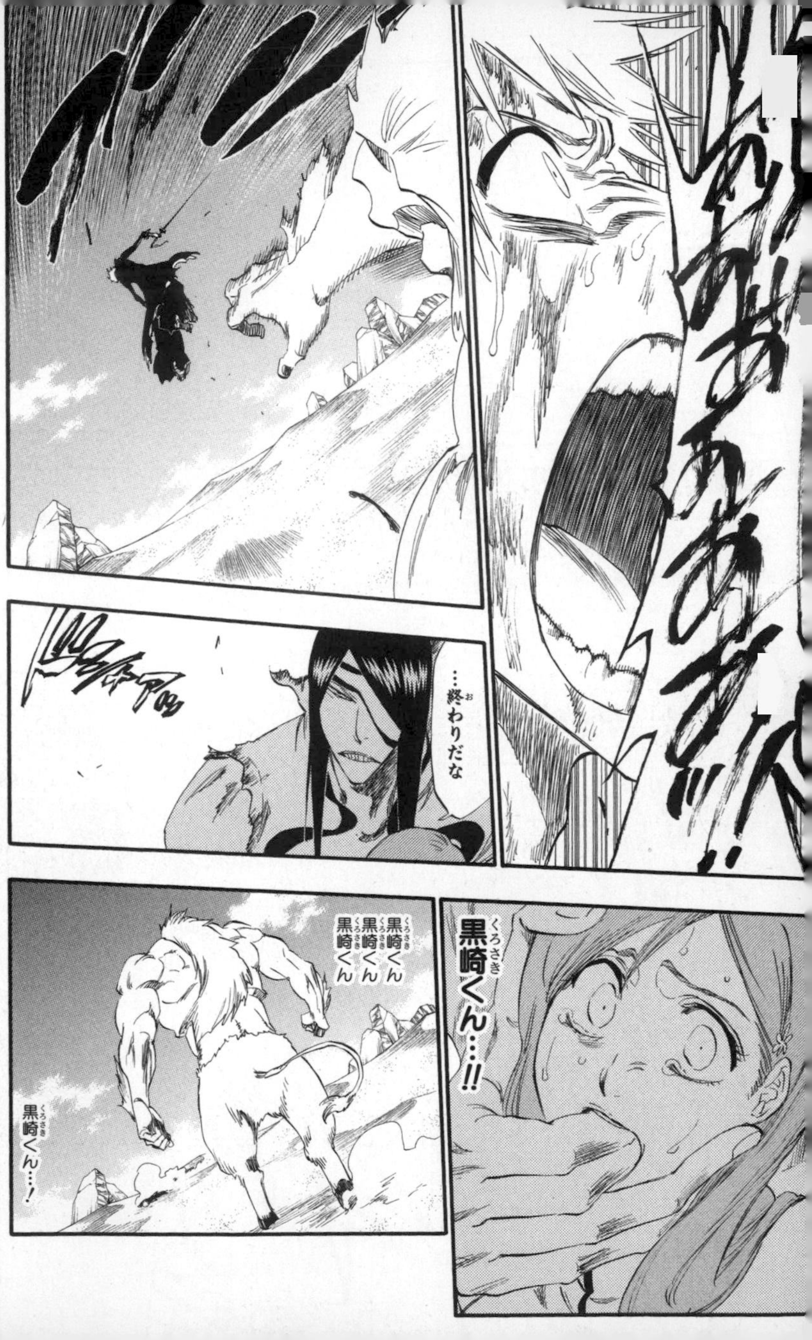
…終《お》わりだな
黒崎《くろさき》くん…!!
黒崎《くろさき》くん 黒崎《くろさき》くん 黒崎《くろさき》くん
黒崎《くろさき》くん…!

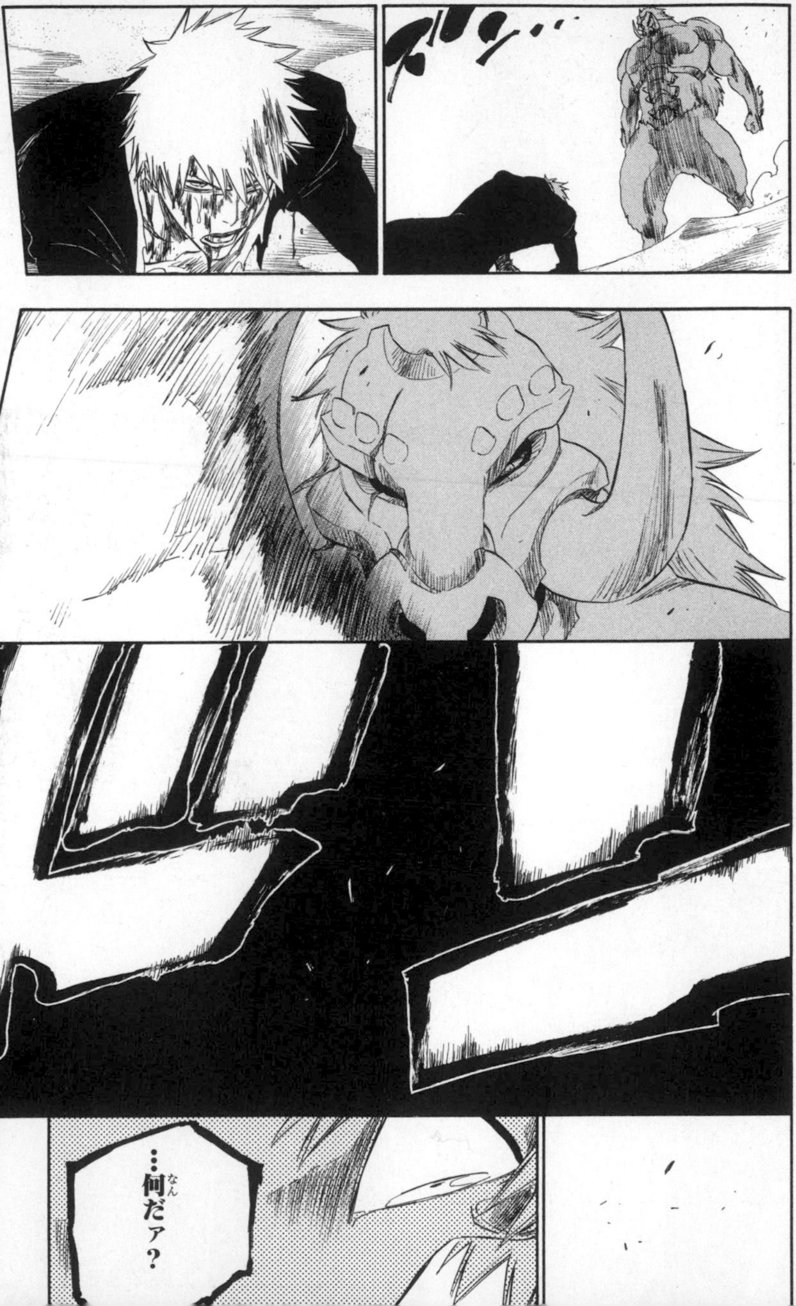
…何《なん》だァ？

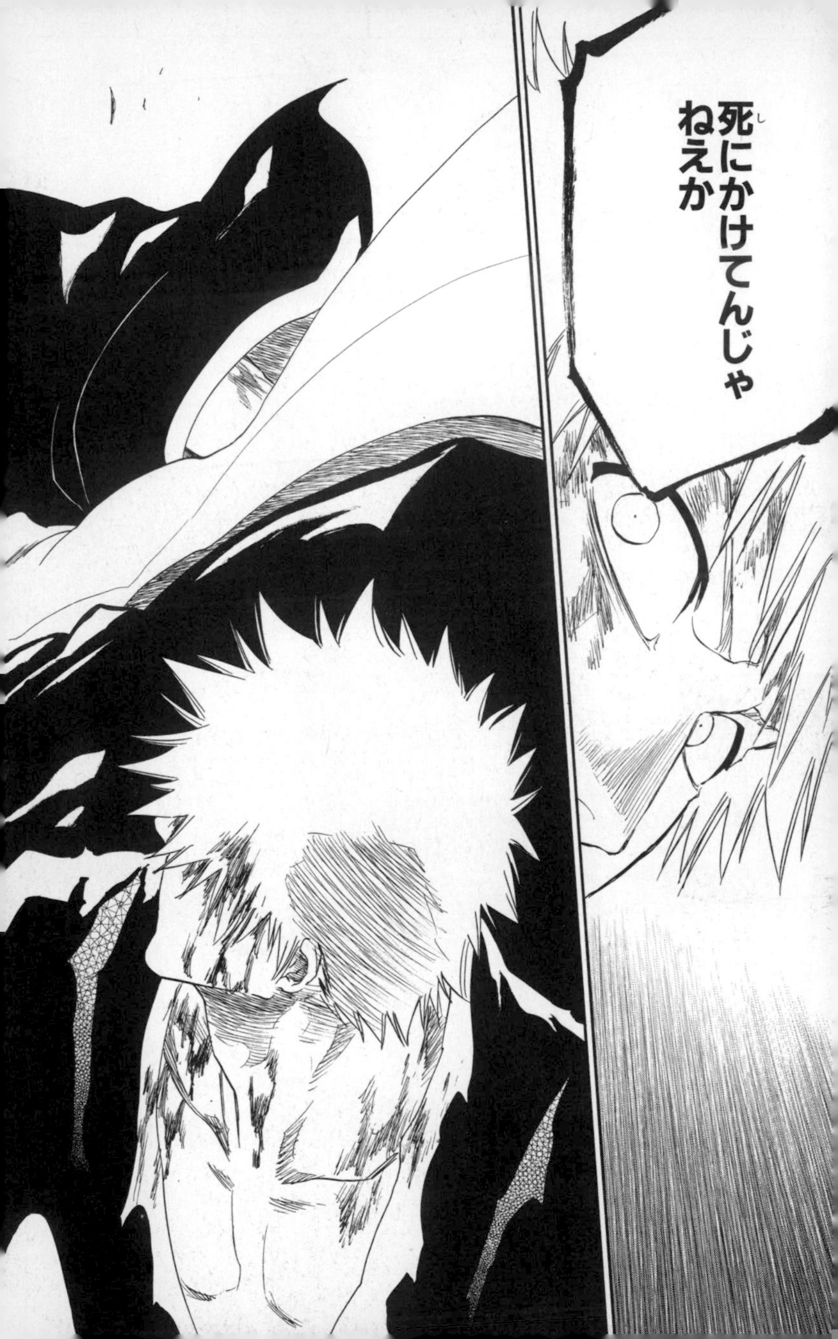
死《し》にかけてんじゃねえか

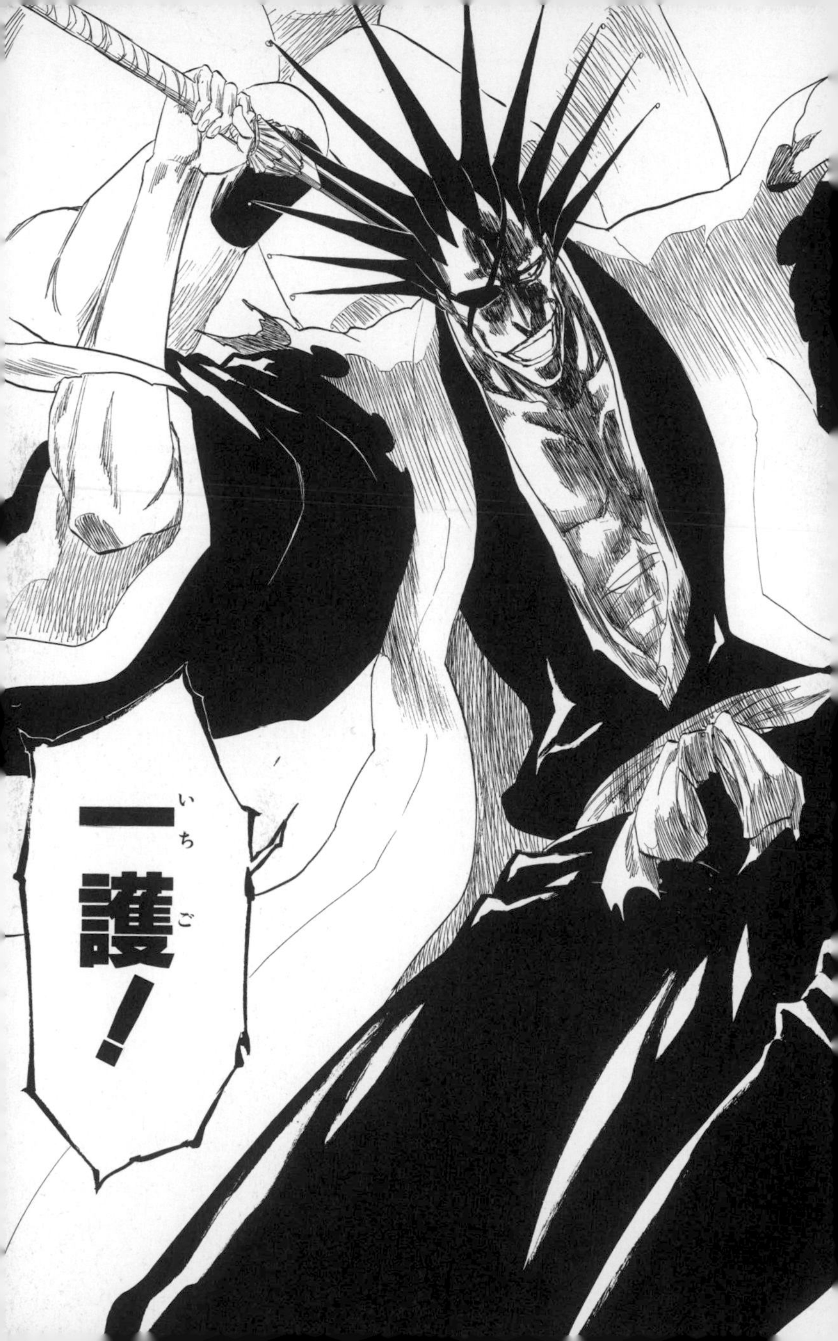
一護《いちご》!

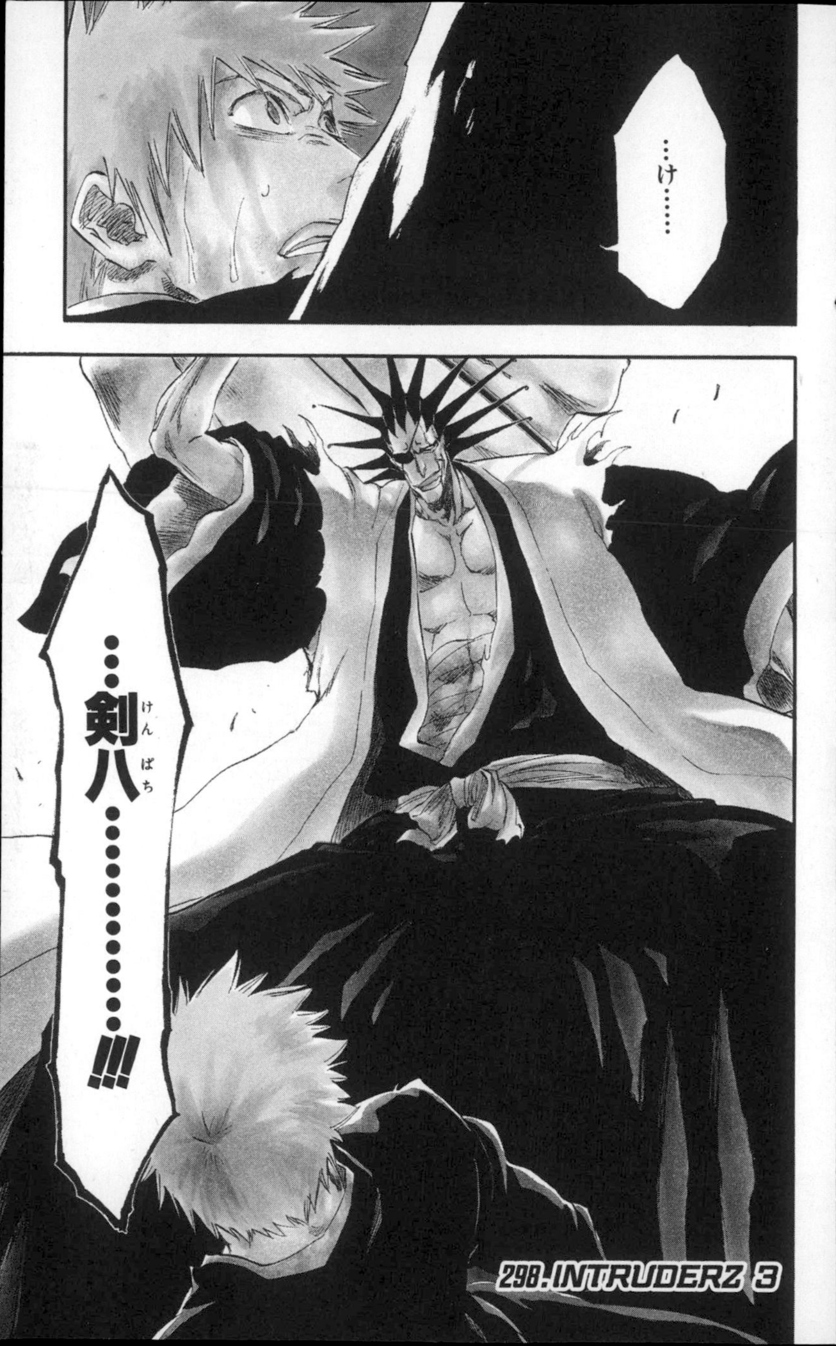

…け……
…剣八《けんぱち》…………!!!
298.INTRUDERZ 3

me to you .

phones
are
tie
BLEACH
298. INTRUDERZ 3

BLEACH
ブリーチ

…ホントに…
剣八《けんぱち》…
…なのか…!?
あ?
当《あ》たり前《めえ》だろ
ボロカスにやられて
頭《あたま》までイカレたか

何者《なにもの》だ
貴様《きさま》
…答《こた》える気《き》は無《な》しか
ならば消《き》えろ

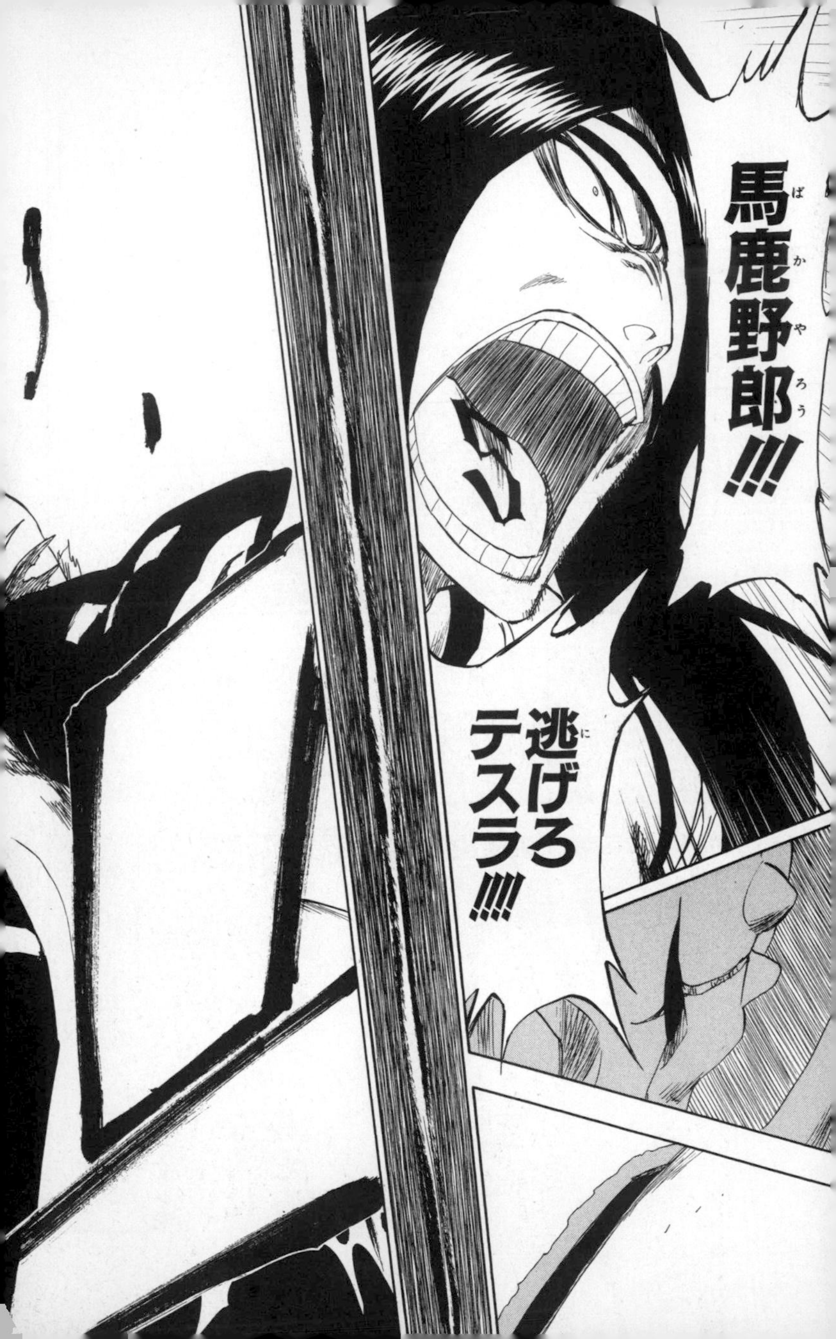
馬鹿野郎《ばかやろう》!!!
逃《に》げろテスラ!!!!

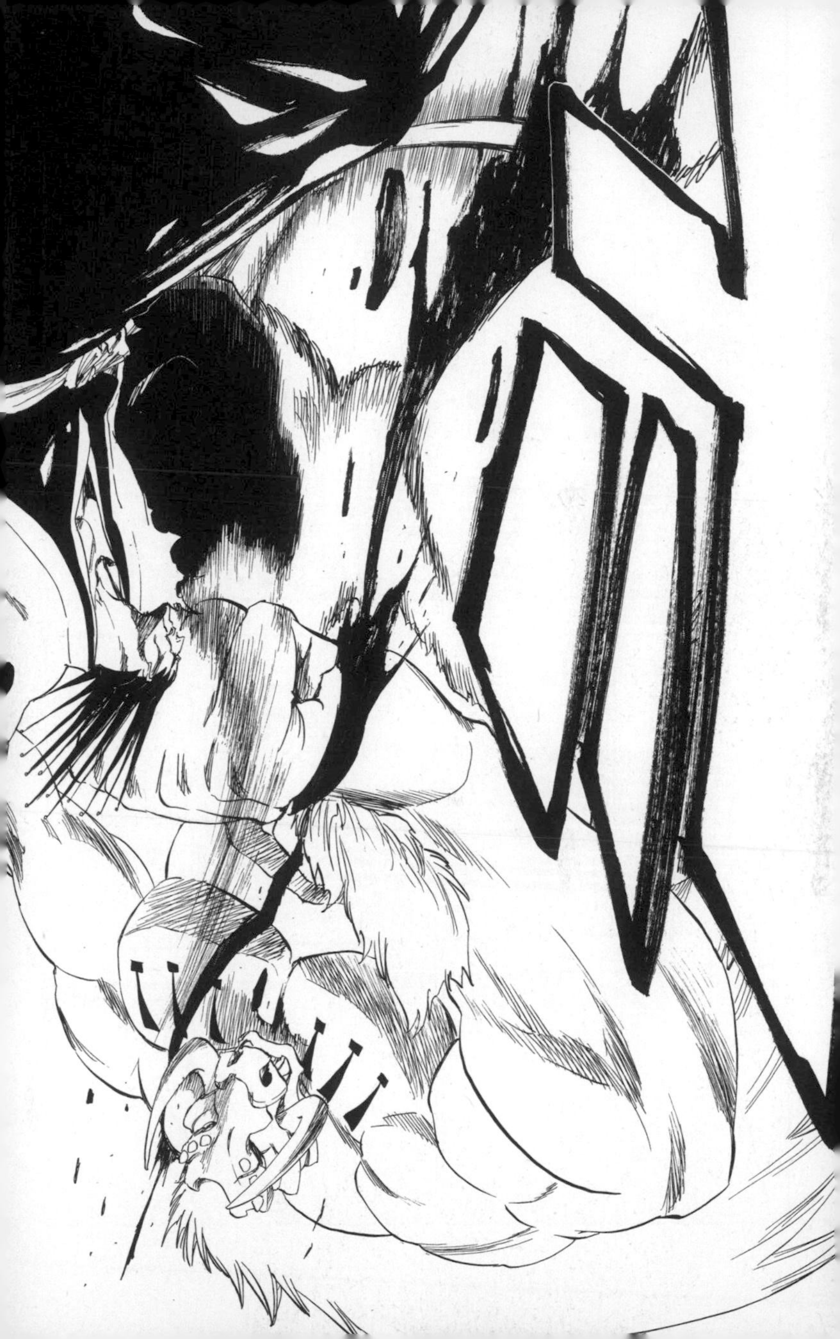

…ノイ…
トラ…
…様《さま》…

次《つぎ》
来《こ》いよ
次《つぎ》はてめえだろうが

け…
剣八《けんぱち》…
なんで…
あんたが
ここに…
尸魂界《ソウル・ソサエティ》は…
この戦《たたか》いから
手《て》を引《ひ》いた
ハズじゃ…
ザザッ
おぶっ
く…
黒崎《くろさき》くんっ!?
邪魔《じゃま》だ
のいてろ
げほっ
ごほっ
くそっ…
てめ…

浦原《うらはら》喜助《きすけ》だ
あの野郎《やろう》には
決戦《けっせん》が冬《ふゆ》と決《き》まった時点《じてん》で総隊長《ジイさん》から幾《いく》つか指令《しれい》が出《だ》されてた
その一《ひと》つが
黒腔《ガルガンタ》とかいう穴《あな》ぐらを安定《あんてい》させて
万全《ばんぜん》の状態《じょうたい》で隊長格《たいちょうかく》を虚圏《ウェコムンド》へ通行可能《つうこうかのう》にすること

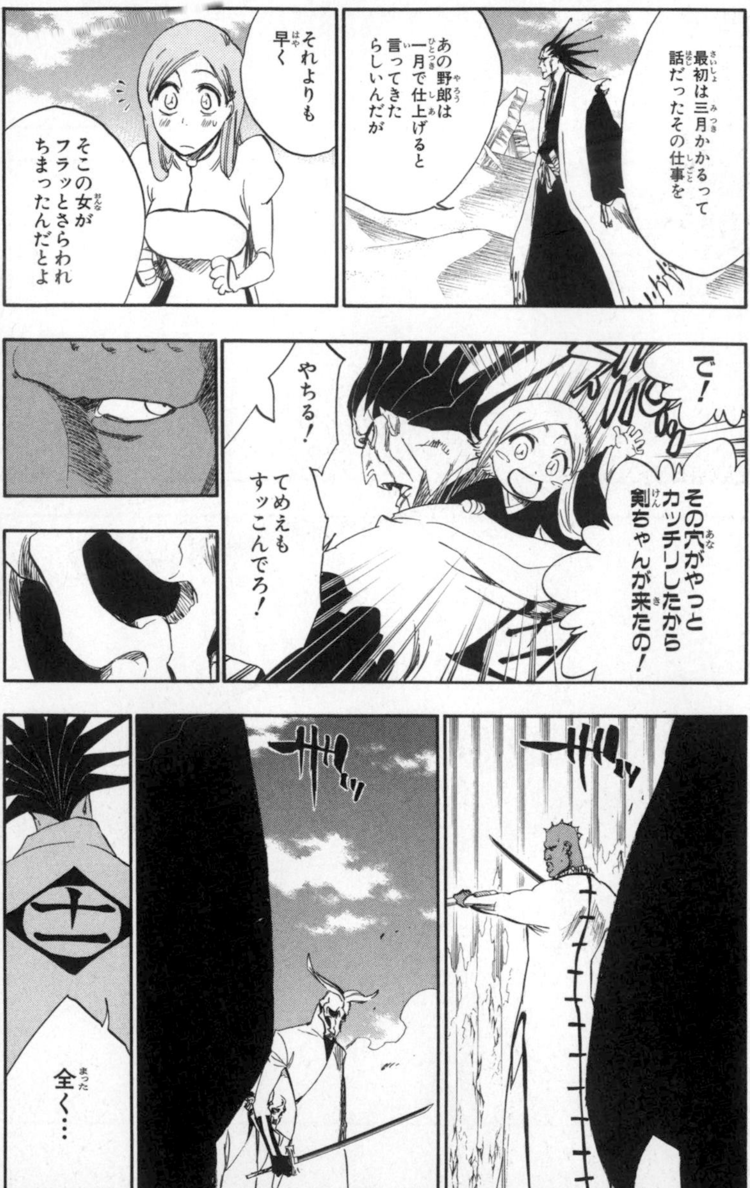
最初《さいしょ》は三月《みつき》かかるって話《はなし》だったその仕事《しごと》を
あの野郎《やろう》は一月《ひとつき》で仕上《しあ》げると言《い》ってきたらしいんだが
それよりも早《はや》く
そこの女《おんな》がフラッとさらわれちまったんだとよ
で！
その穴《あな》がやっとカッチリしたから剣《けん》ちゃんが来《き》たの！
やちる！
てめえもすッこんでろ！
ザッ
ザッ
全《まった》く…

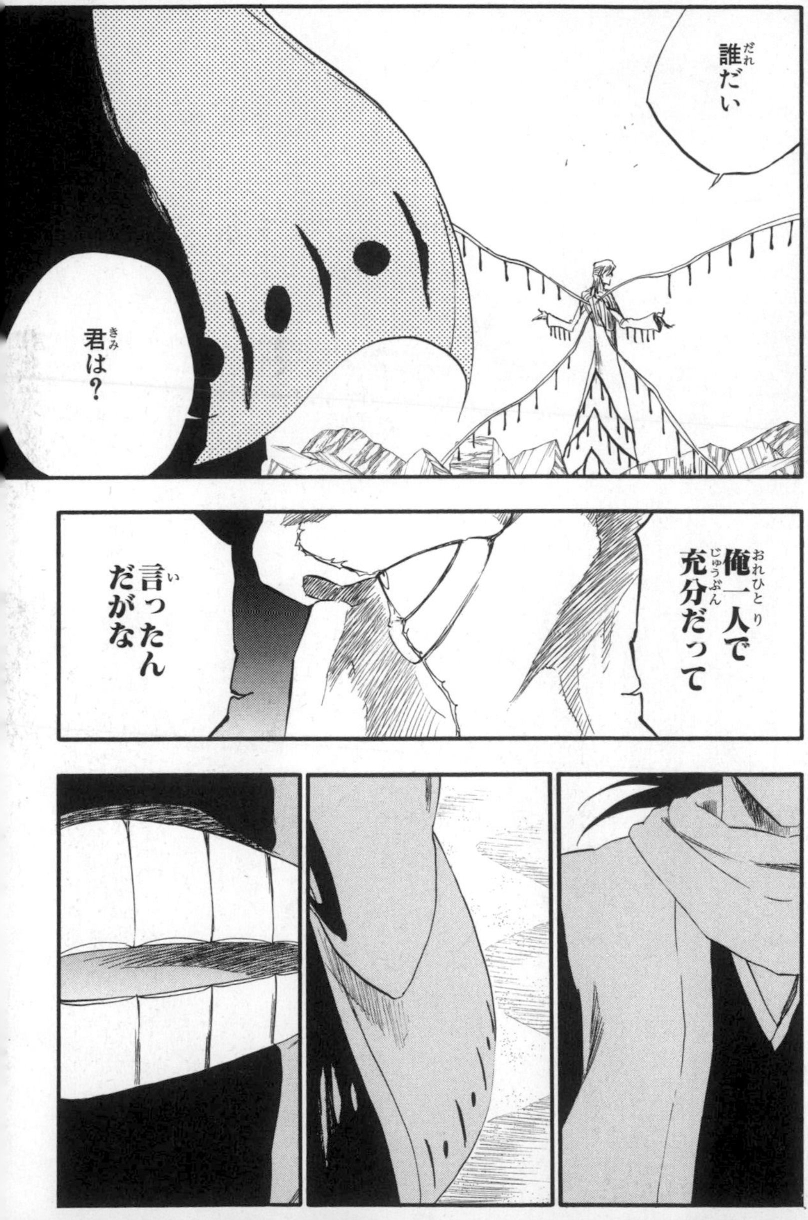
誰《だれ》だい
君《きみ》は？
俺一人《おれひとり》で
充分《じゅうぶん》だって
言《い》ったん
だがな

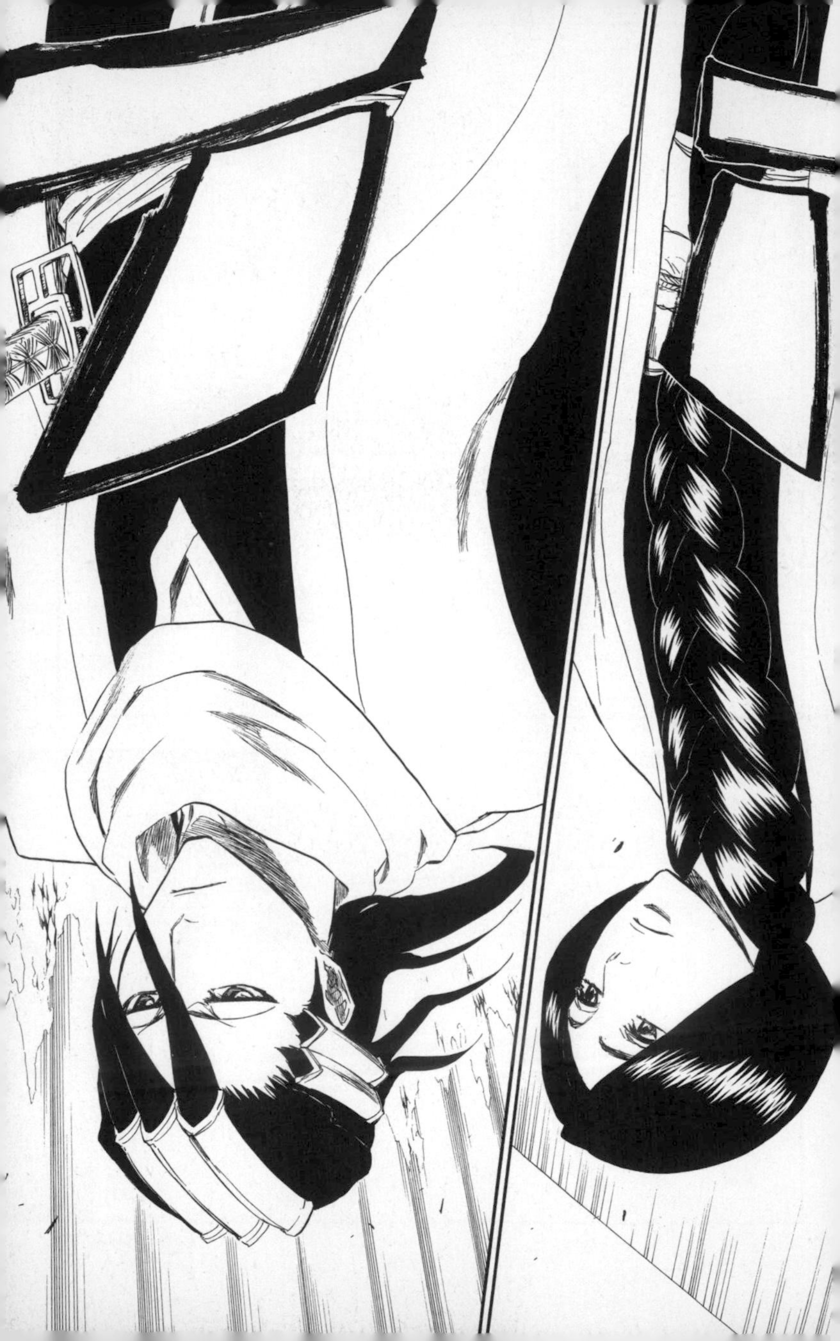

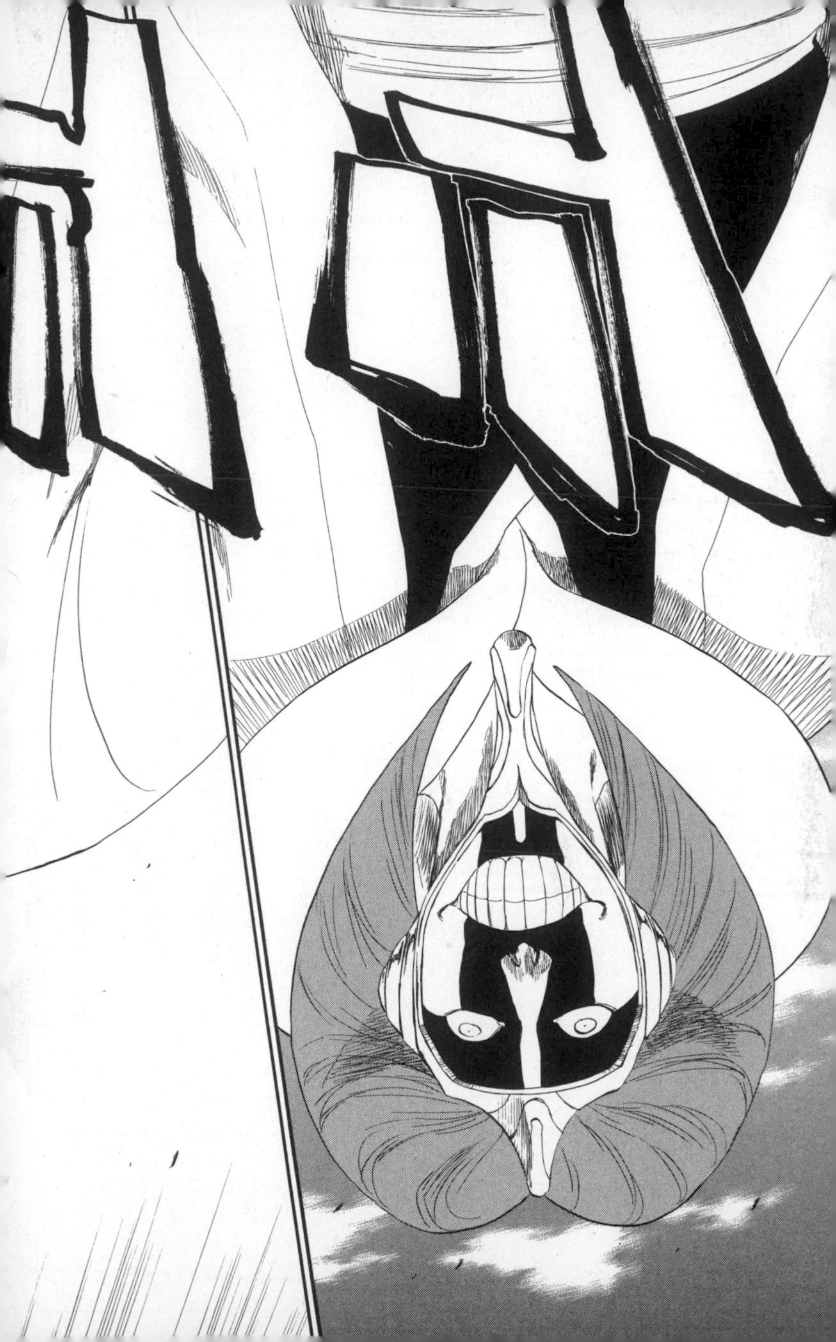

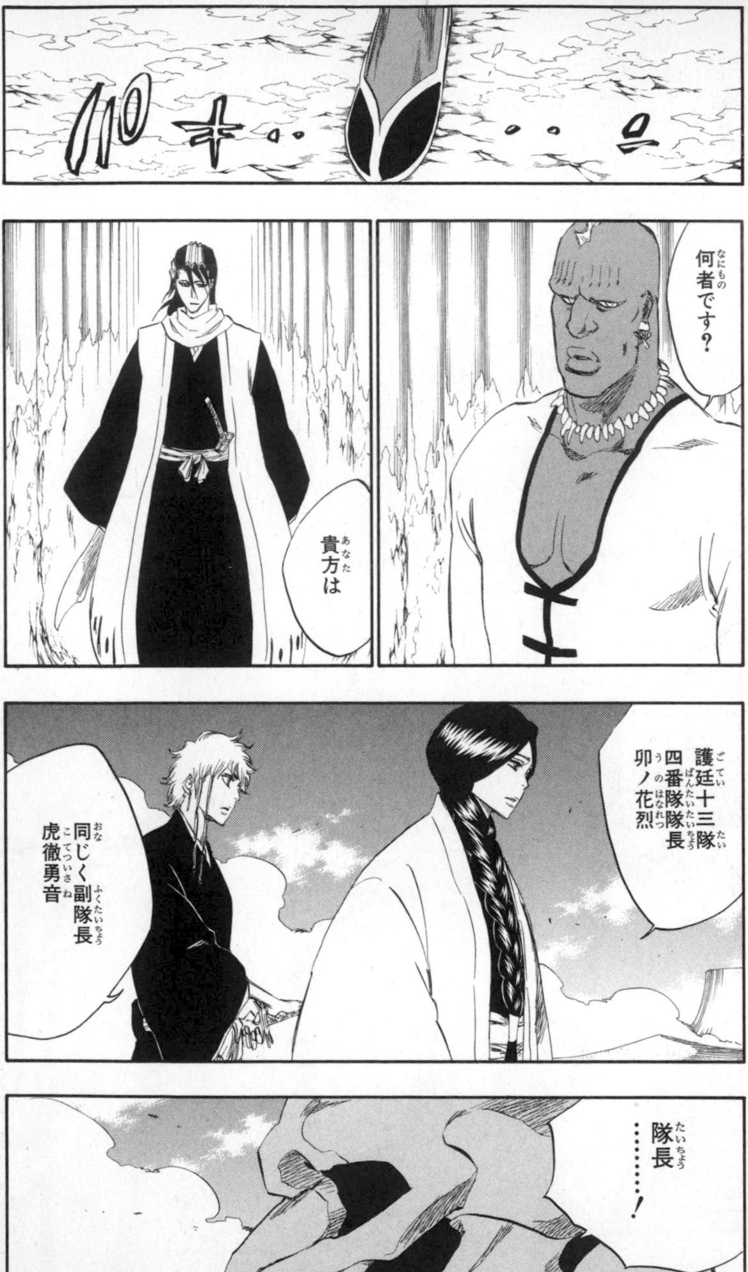
ザッ……
何者《なにもの》です?
貴方《あなた》は
護廷《ごてい》十三隊《たい》
四番隊隊長《ばんたいたいちょう》
卯ノ花烈《うのはなれつ》
同《おな》じく副隊長《ふくたいちょう》
虎徹勇音《こてついさね》
隊長《たいちょう》……!

その羽織《はおり》
隊長格《たいちょうかく》と
お見受《みう》けする
私《わたし》は第7十刃《セプティマ・エスパーダ》
ゾマリ・ルルー
さあ
名乗《なの》りなさい
侵入者《しんにゅうしゃ》
ククク…
ザシャ…ッ
ザシャ…ッ
「私《わたし》が誰《だれ》か」
…か
ザシャ…ッ
ザシャ…ッ
その
質問《しつもん》に
答《こた》える意味《いみ》が
あるのかネ？
六
答《こた》える
迄《まで》も無《な》い
我等《われら》の正体《しょうたい》は
一《ひと》つ

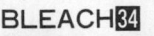

兄等《けいら》の敵《てき》だ
成程《なるほど》
私《わたし》たちは皆《みな》の傷《きず》を癒《いや》しに来《き》ただけ
貴方《あなた》がたと争《あらそ》うつもりはありません
破面《アランカル》…
破面《アランカル》…
破面《アランカル》…
チシャ…
チシャ
クククッ
十刃《エスパーダ》！
クククククッ
面白《おもしろ》い！実《じつ》に！
虚圏《ウェコムンド》は
宝《たから》の宝庫《ほうこ》だネ！
…私《わたし》も一《ひと》つ
兄《けい》に問《と》いたい

・・あれと戦《たたか》ったのは
兄《けい》か
…私《わたし》では無《な》い
だが…
止《とど》めはこれから
私《わたし》が差《さ》すところだ
そうか

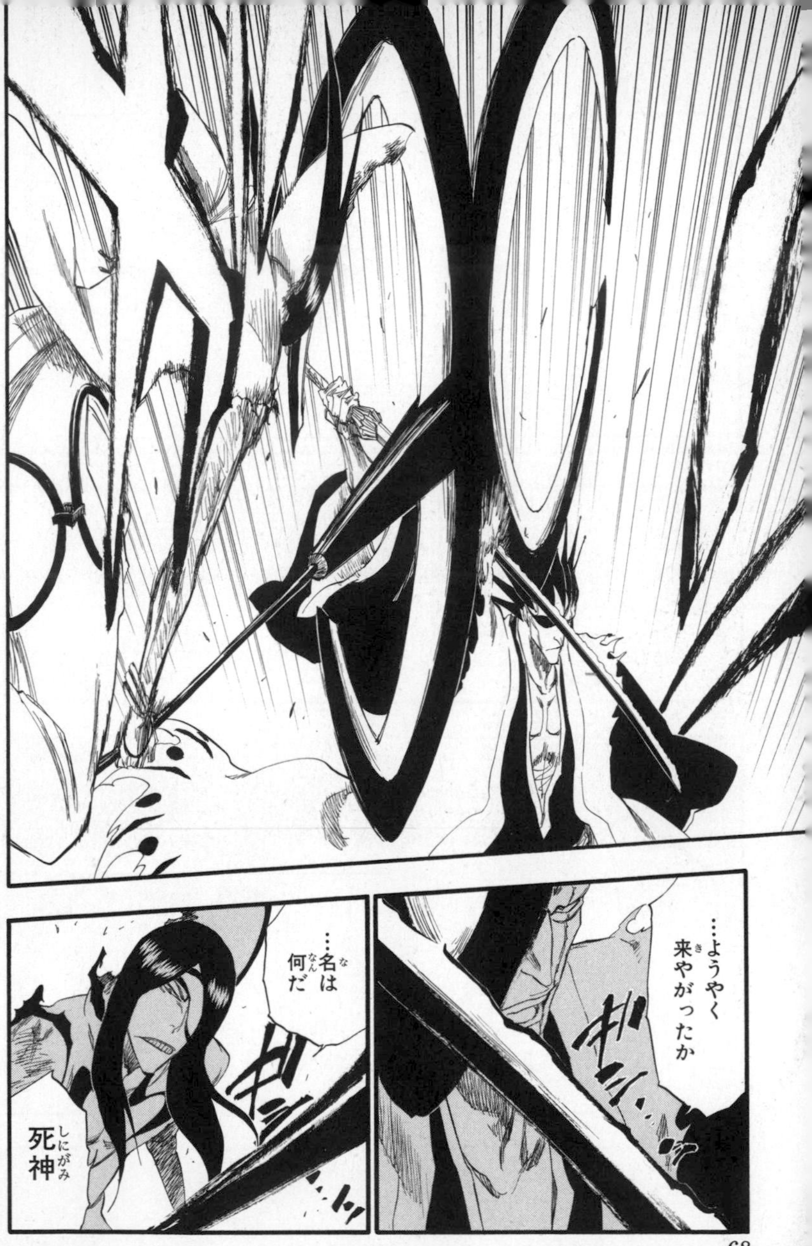
…ようやく来《き》やがったか
…名《な》は何《なん》だ
死神《しにがみ》

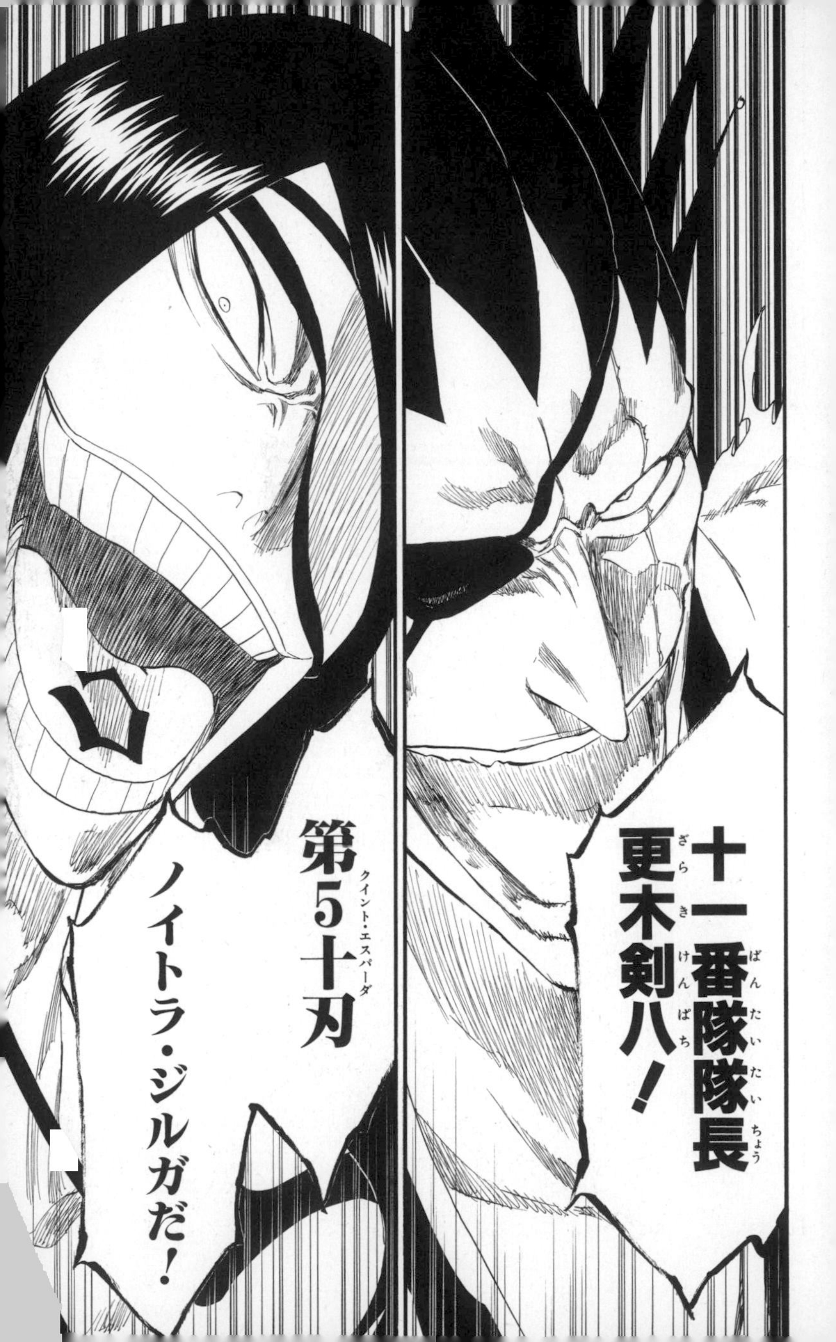
十一番隊隊長《ばんたいたいちょう》
更木剣八《ざらきけんぱち》!
第5十刃《クイント・エスパーダ》
ノイトラ・ジルガだ!

スクープ!!
死んだ!?
ネルの飛んでった意識から見た世界
はっ!!
はっ
こ…ここは…!?
キョロ
キョロ
ネルは一体どうしたっスか…?

299. The Verbal Warfare

退《ひ》くぞ
待《ま》…
勇音《いさね》
私《わたし》たちの役目《やくめ》は血《ち》を流《なが》すことではなく止《と》めること
逃《に》げる者《もの》まで追《お》うことはありません
さあ
治《なお》しますよ
茶渡《さど》さんも
そちらの破面《アランカル》も
…ど…

どうして
お前《まえ》が…
こんな
所《ところ》に…!?
何《なん》だ
知《し》り合《あ》いか
滅却師《クインシー》
知《し》り合《あ》い?
ハテ
知《し》らんヨ
そんな
下等種《かとうしゅ》は
何《なん》だと…!
まあ
まあ

仲間割《なかまわ》れは止《よ》してくれ
見苦《みぐる》しい
さあ改《あらた》めて訊《き》こうか
君《きみ》は一体《いったい》誰《だれ》――
…いや
やはり訊《き》くのは止《よ》そう
所詮君《しょせんきみ》も僕《ぼく》に消《け》されるだけの存在《そんざい》
名《な》など訊《き》くだけ無駄《むだ》な事《こと》だ
そうかネ
だが私《わたし》の方《ほう》は
君《きみ》の名《な》を聞《き》かせて貰《もら》わないと困《こま》るんだがネ

………
…何故《なぜ》？
何故《なぜ》？
馬鹿《ばか》かネ君《きみ》は？
そんなもの決《き》まっているじゃないか
君《きみ》を瓶詰《びんづ》めにした時《とき》に
瓶《びん》に名前《なまえ》を書《か》く為《ため》だヨ
………
…ハッ

299.
Warfare

BLEACH
The Verbal

パキ…ッ
パキ…ッ
パキ…
どうしました？
かかってこないのですか？
侵入者《しんにゅうしゃ》

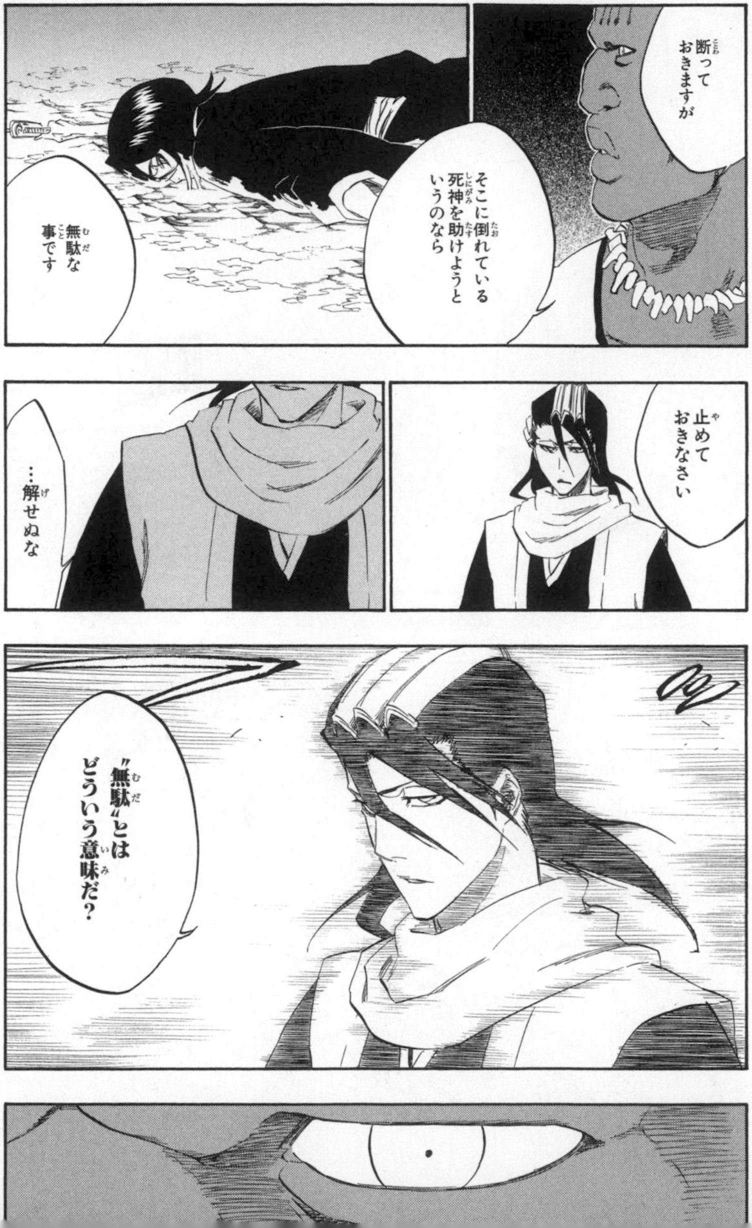
断《ことわ》っておきますが
そこに倒《たお》れている死神《しにがみ》を助《たす》けようというのなら
無駄《むだ》な事《こと》です
止《や》めておきなさい
…解《げ》せぬな
〝無駄《むだ》〟とはどういう意味《いみ》だ？

こういう
意味《いみ》です

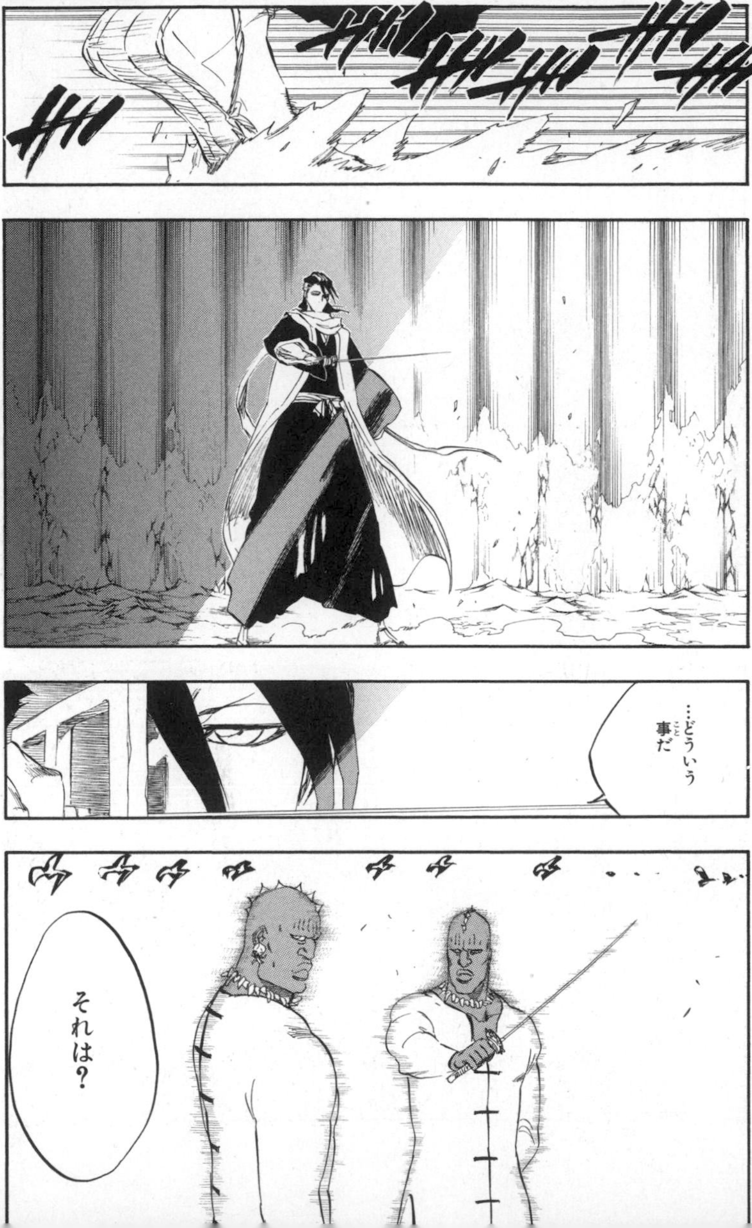
…どういう事《こと》だ
それは？

「双児響転《ヘメロス・ソニード》」
私《わし》の響転《ソニード》は十刃中《エスパーダちゅう》 最速《さいそく》でして
それに少《すこ》しばかりステップを加《くわ》えて仕上《しあ》げた擬似的《ぎじてき》な分身《ぶんしん》の様《よう》なもの…
まあ
手品《てじな》の類《たぐい》のお遊《あそ》びです
手品《てじな》とは相手《あいて》を驚《おどろ》かせる為《ため》のものですから
目《め》で追《お》えず驚《おどろ》いたからといって
そう羞《は》じることはありませんよ
――そうか

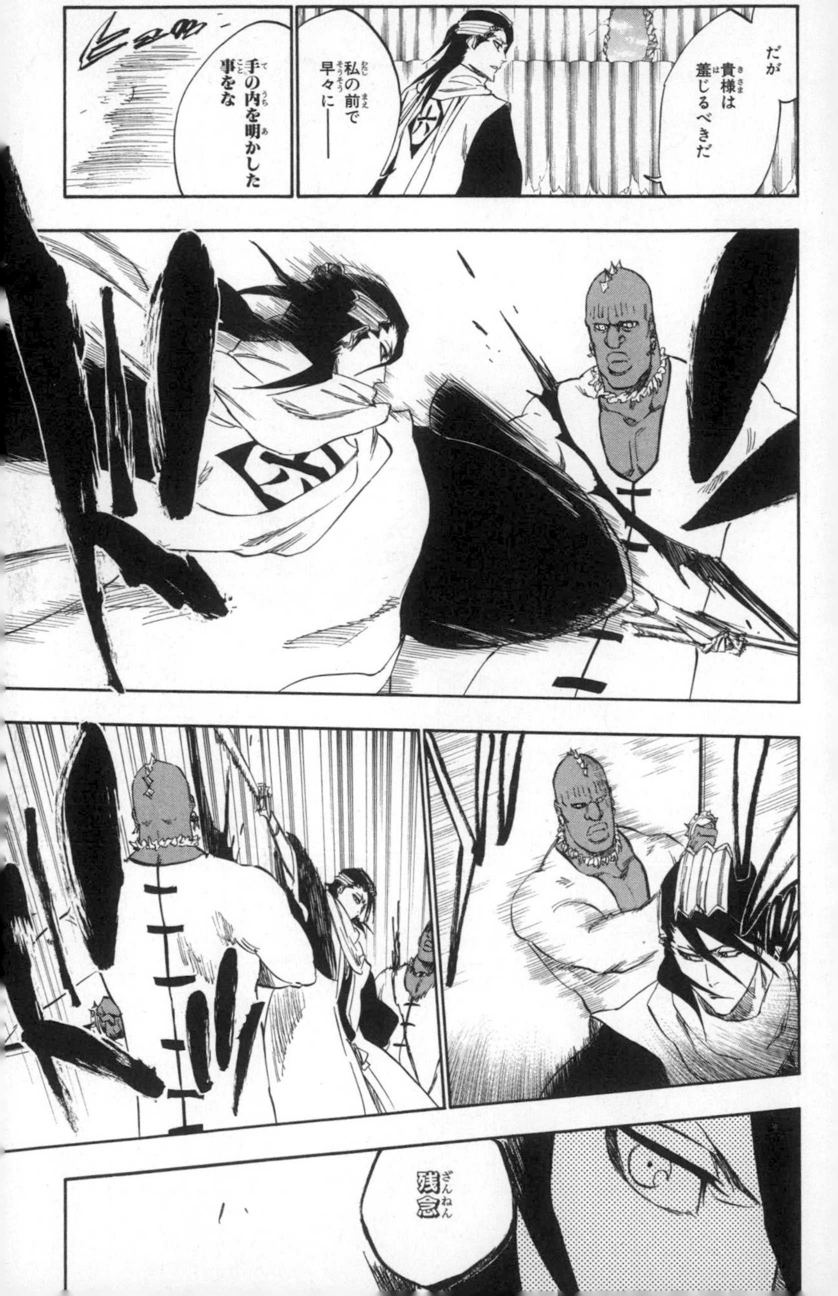
だが
貴様《きさま》は
羞《は》じるべきだ
私《わたし》の前《まえ》で
早々《そうそう》に——
手《て》の内《うち》を明《あ》かした
事《こと》をな
残念《ざんねん》

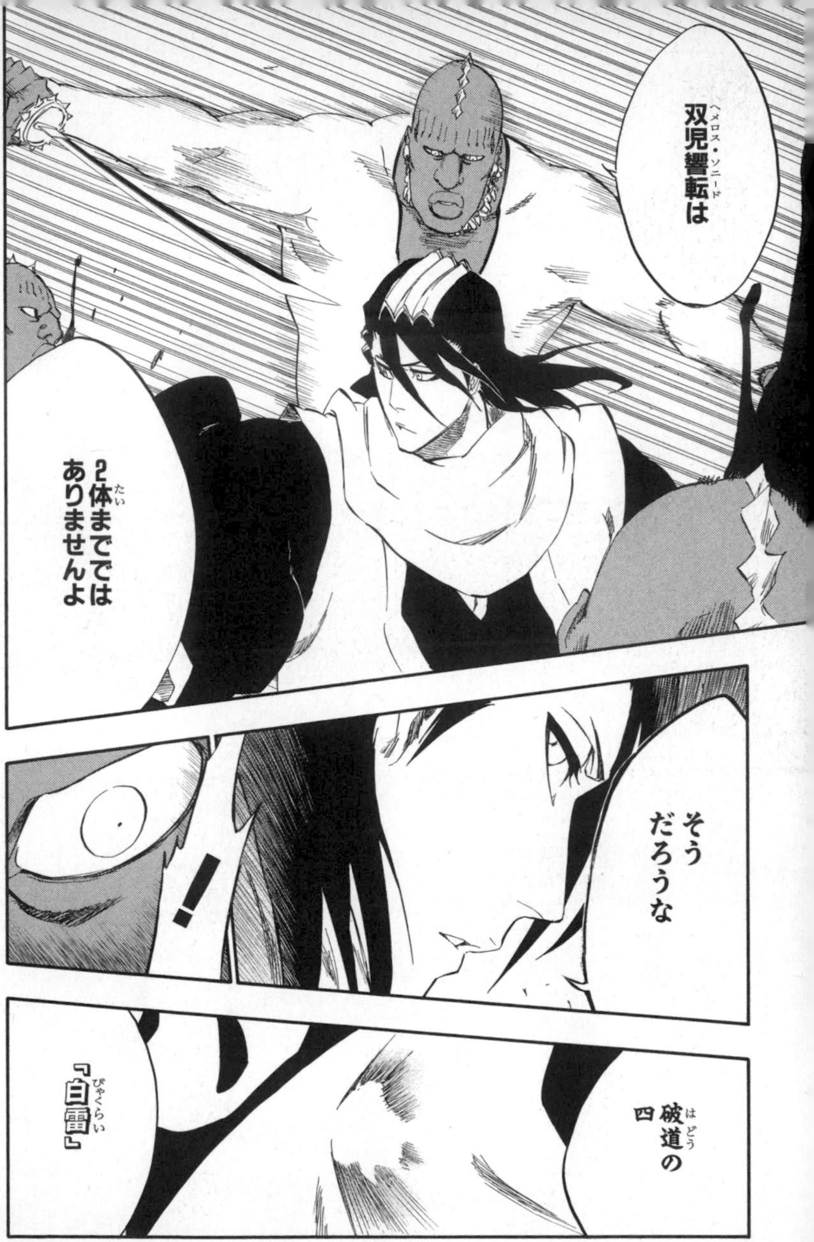
双児響転《ヘメロス・ソニード》は
2体《たい》まではありませんよ
そうだろうな
!
破道《はどう》の四
『白雷《びゃくらい》』

双児響転《ヘメロス・ソニード》の分身数《ぶんしんすう》は
最大《さいだい》5体《たい》です

…………
…く………
…さようなら
名《な》も知《し》らぬ
隊長《たいちょう》よ
貴方《あなた》の
敗因《はいいん》は
自《みずか》らの名《な》も語《かた》らぬ
その傲《おご》りだ

隠密歩法《おんみつほほう》
〝四楓《しほう》〟の参《さん》
『空蝉《うつせみ》』
奴《やつ》に習《なら》った
術《じゅつ》など
使《つか》いたくは
なかったのだがな

傲《おご》っているのは貴様《きさま》だ
十刃《エスパーダ》
だが案《あん》ずるな
貴様《きさま》が敗北《はいぼく》するのはその傲《おご》りの為《ため》ではない
ただ純粋《じゅんすい》に
格《かく》の差《さ》だ

スクープ!!
死んだ!?
ネルの飛んでった意識から見た世界
なんだかとってもまですんごいボインボインのセクシーさんになった夢をみてた気がするっス…
ぷ〜
うへへ…
いい夢だったスなあ〜…
けどもイチゴOだったス…

はっ
ガシャ
はっ
ガシャ
はっ
ガシャ
はっ
ひ…
ひどいなあ
朽木隊長《くちきたいちょう》…
はっ
ガシャ
着《つ》いたとたんに
瞬歩《しゅんぽ》で消《き》えちゃうん
だもん…
はっ
ガシャ
はっ
ガシャ
僕《ぼく》ちゃんと出発前《しゅっぱつまえ》に
「瞬歩使《しゅんぽつか》えないんで…」って
言《い》ったの…
ガシャ
るっ
に
いたあ!!!
ごしゃーん

BLEACH.300 Curse Named Love

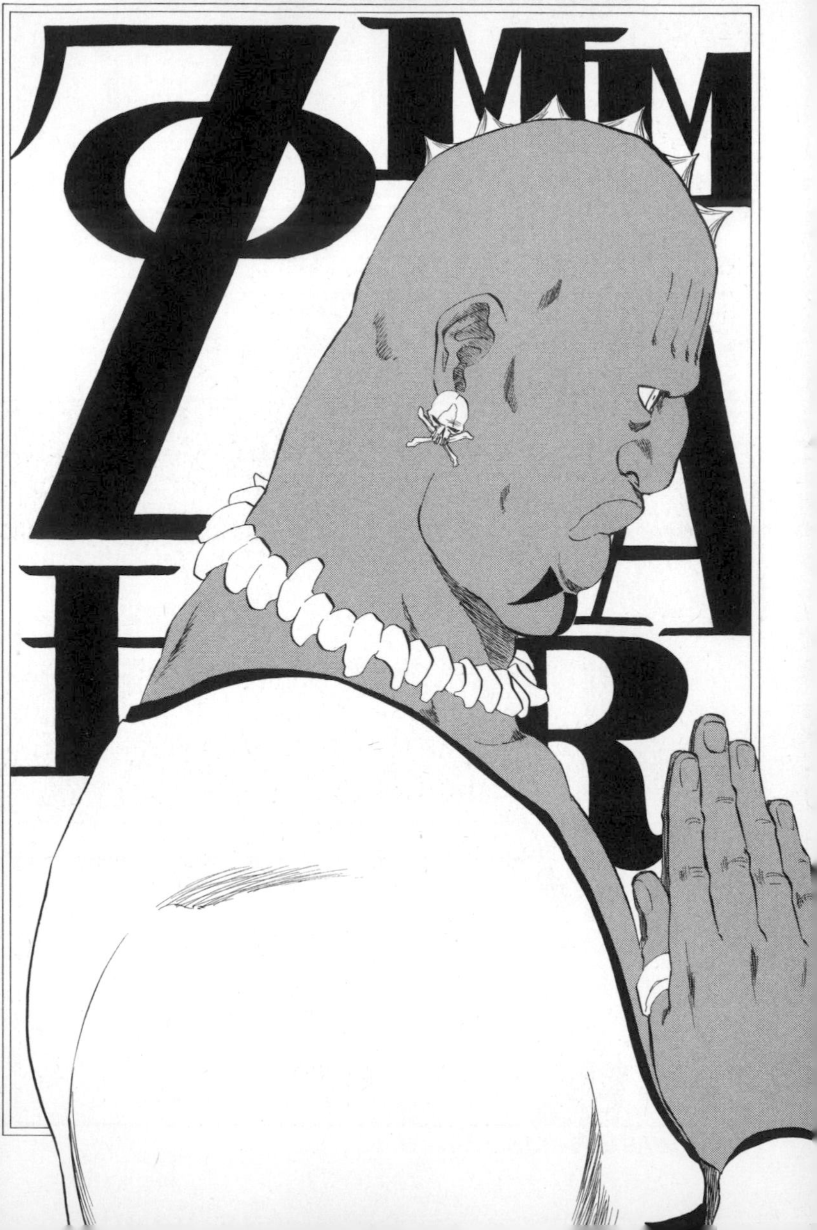

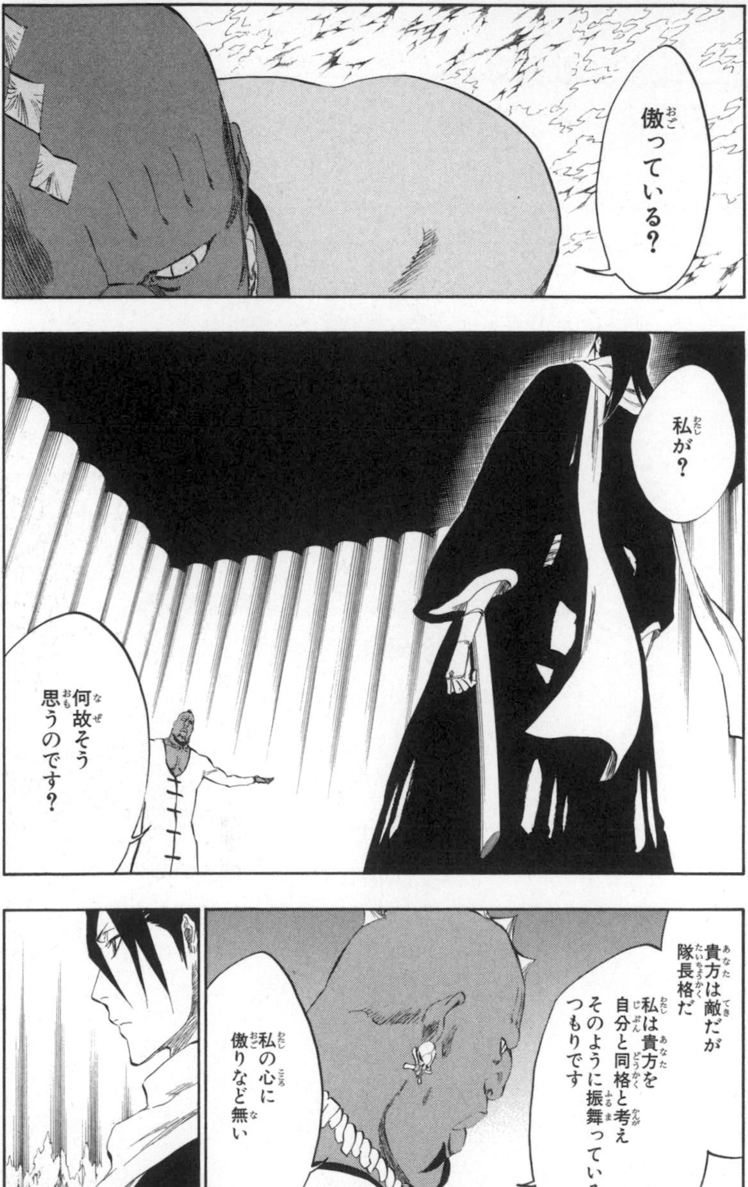
傲《おご》っている？
私《わたし》が？
何故《なぜ》そう思《おも》うのです？
貴方《あなた》は敵《てき》だが隊長格《たいちょうかく》だ
私《わたし》は貴方《あなた》を自分《じぶん》と同格《どうかく》と考《かんが》えそのように振舞《ふるま》っているつもりです
私《わたし》の心《こころ》に傲《おご》りなど無《な》い

…破面《アランカル》が
この私《わたし》と自《みずか》らを同格《どうかく》と考《かんが》える…
それ自体《じたい》が
既《すで》に傲《おご》りだと言《い》っている
……成程《なるほど》

どうやら
傲岸不遜《ごうがんふそん》が貴方《あなた》の性分《しょうぶん》の様《よう》だ
ゾゾ…
いいでしょう
ならば貴方《あなた》のその不遜《ふそん》…
その身《み》の裡《うち》まですり潰《つぶ》して差《さ》し上《あ》げましょう
鎮《しず》まれ

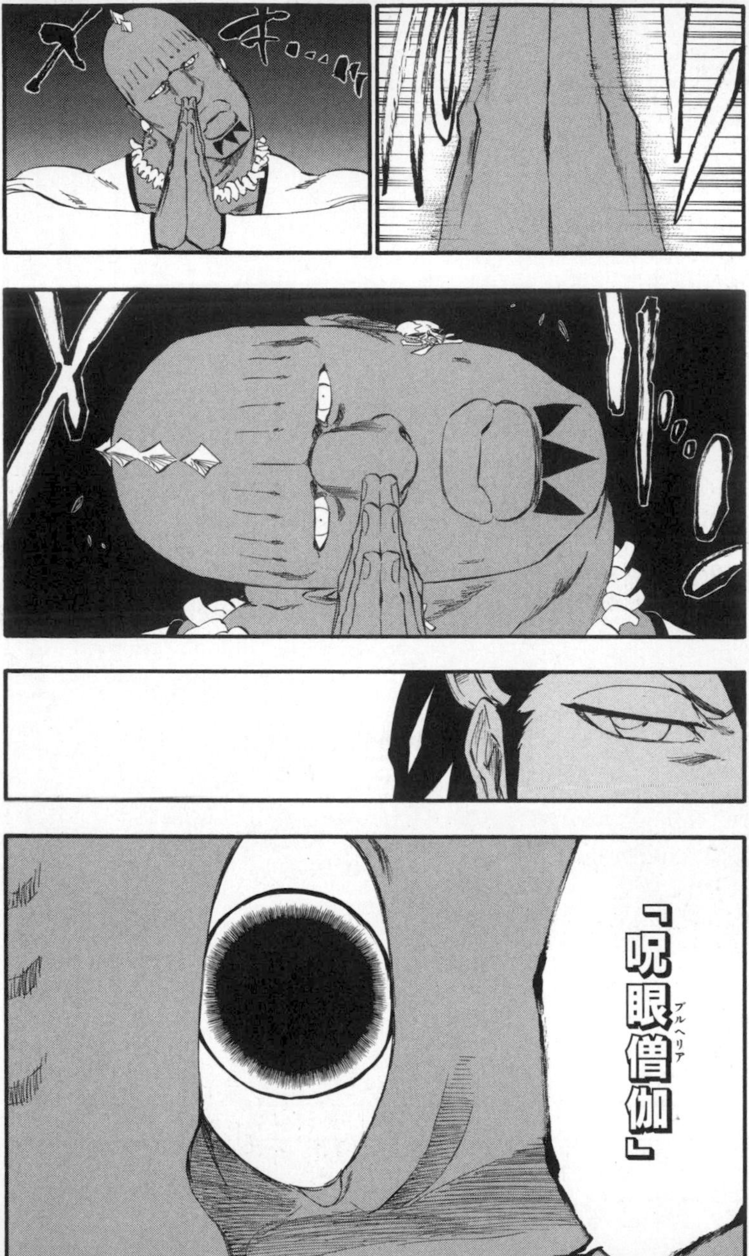
「呪眼僧伽《ブルヘリア》」

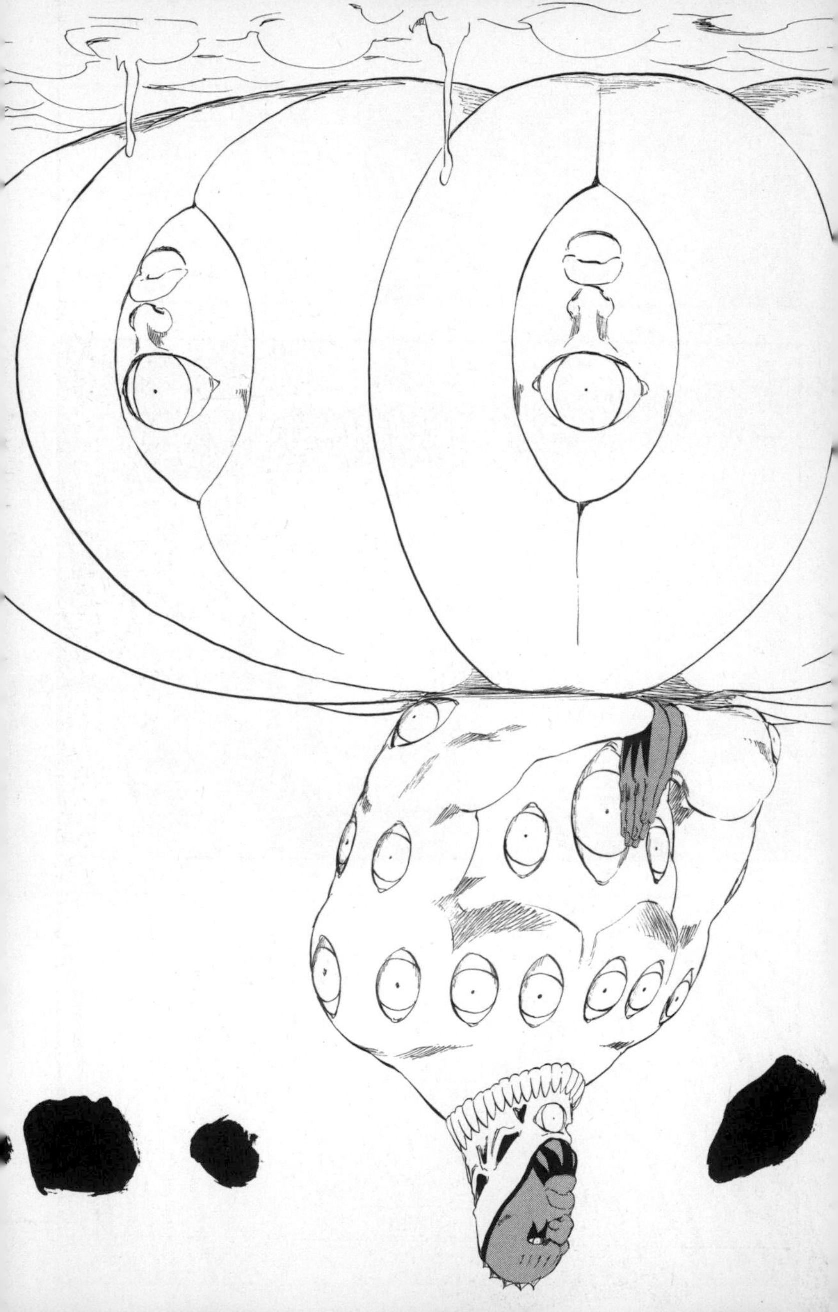

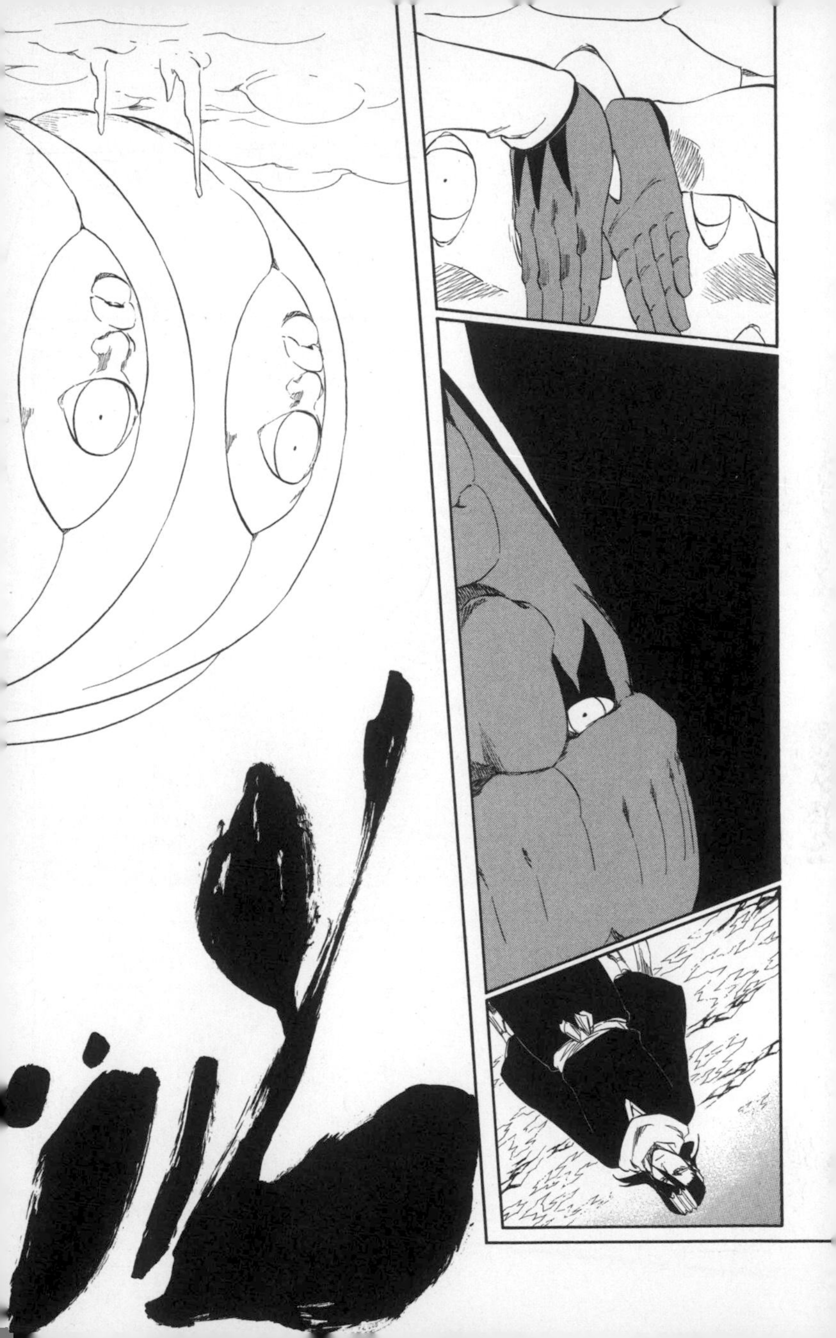

…どうしました?
攻撃《こうげき》を放《はな》つと直感《ちょっかん》したのに何《なに》も起《お》こっていない
それが解《げ》せないと言《い》いた気《げ》だ
残念《ざんねん》

起《お》こっていますよ
既《すで》に

その左足《ひだりあし》は
わたしのものになりました
何《なん》だ…
全《すべ》てのものには「支配権《しはいけん》」があります
部下《ぶか》は上官《じょうかん》の支配下《しはいか》にあり
民衆《みんしゅう》は王《おう》の支配下《しはいか》にあり
雲《くも》は風《かぜ》の支配下《しはいか》にあり
月光《げっこう》は太陽《たいよう》の支配下《しはいか》にある
オオオ
これは……
我《わ》が「呪眼僧伽《ブルヘリア》」の能力《のうりょく》は
その目《め》で見《み》つめたものの「支配権《しはいけん》」を奪《うば》う能力《のうりょく》

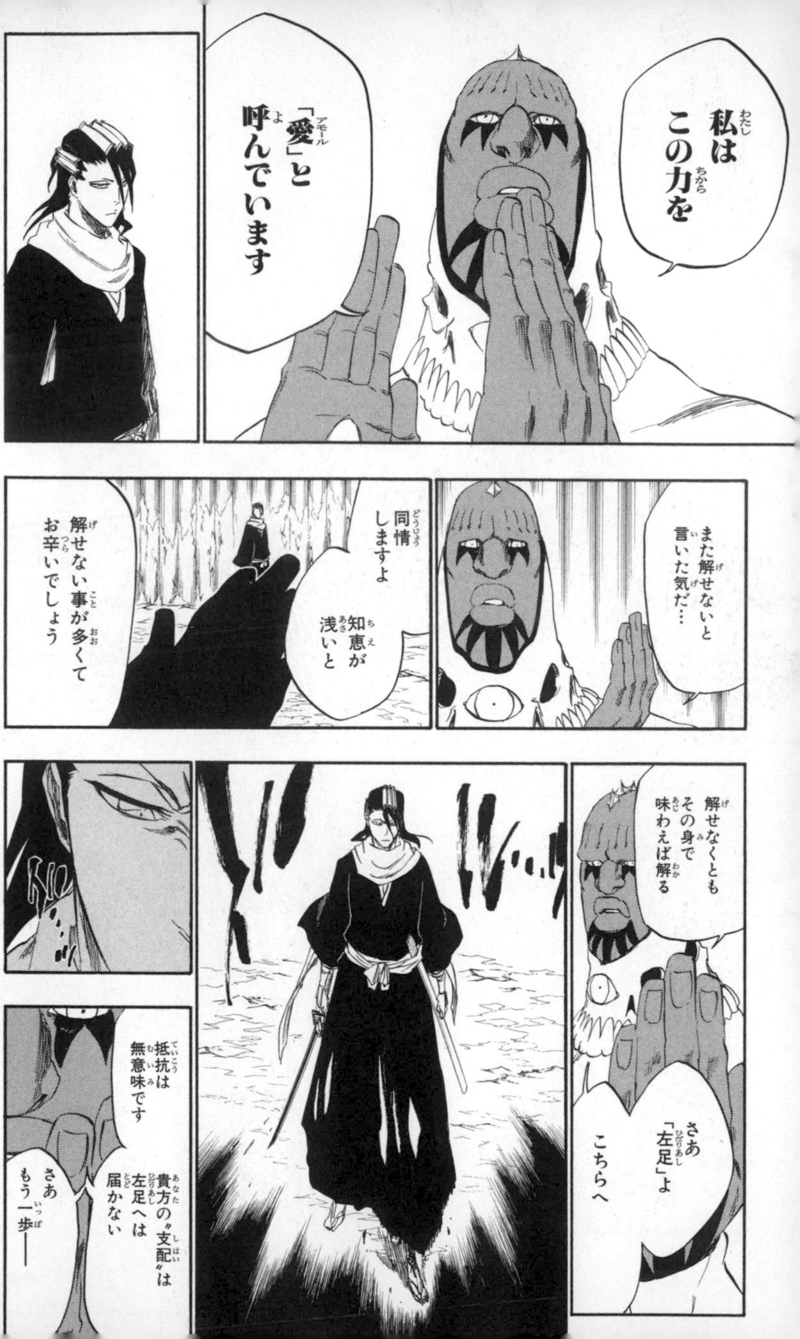
私《わたし》はこの力《ちから》を
「愛《アモール》」と呼《よ》んでいます
また解《げ》せないと言《い》いた気《げ》だ…
知恵《ちえ》が浅《あさ》いと
同情《どうじょう》しますよ
解《げ》せない事《こと》が多《おお》くてお辛《つら》いでしょう
解《げ》せなくともその身《み》で味《あじ》わえば解《わか》る
さあ「左足《ひだりあし》」よ
こちらへ
抵抗《ていこう》は無意味《むいみ》です
貴方《あなた》の〝支配《しはい》〟は左足《ひだりあし》へは届《とど》かない
さあもう一歩《いっぽ》――

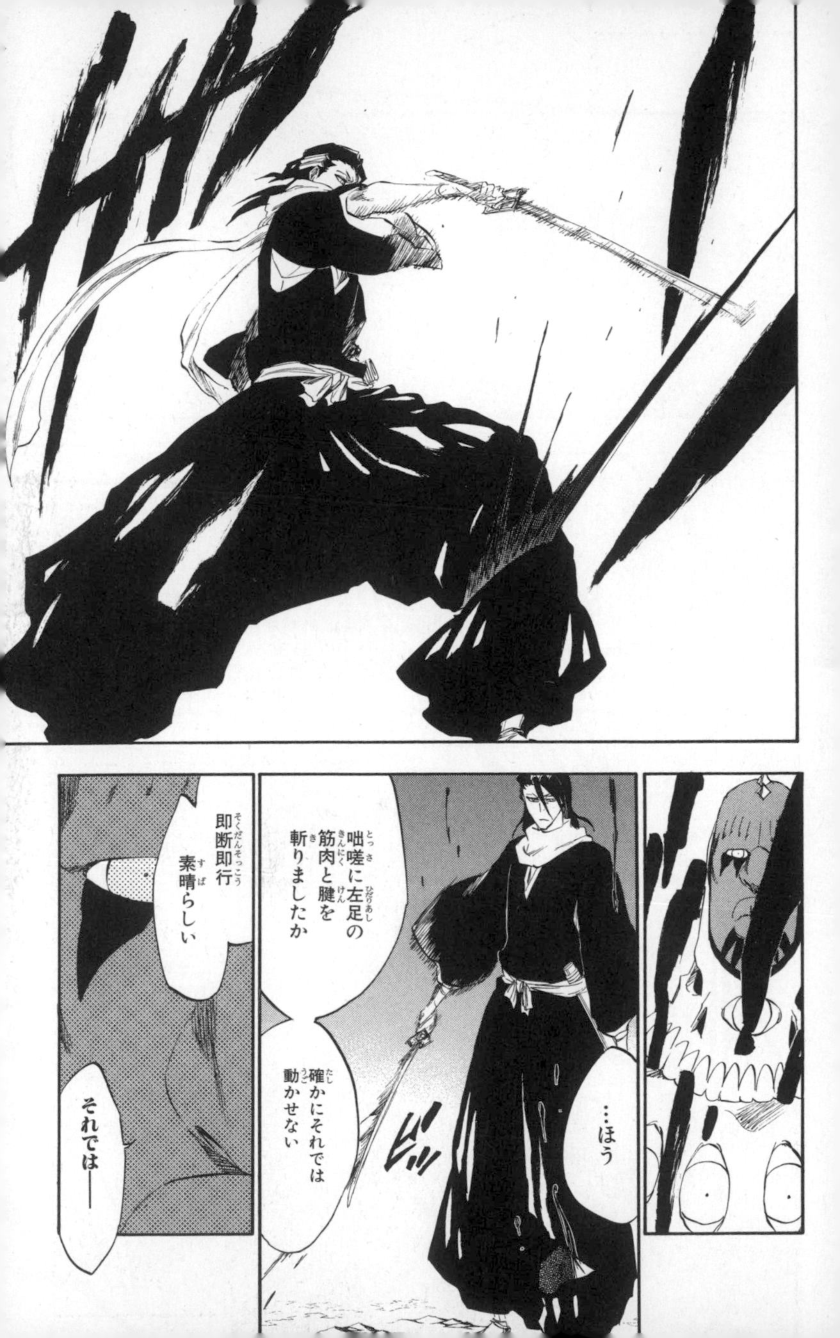
…ほう
咄嗟《とっさ》に左足《ひだりあし》の筋肉《きんにく》と腱《けん》を斬《き》りましたか
確《たし》かにそれでは動《うご》かせない
ビッ
即断即行《そくだんそっこう》
素晴《すば》らしい
それでは──

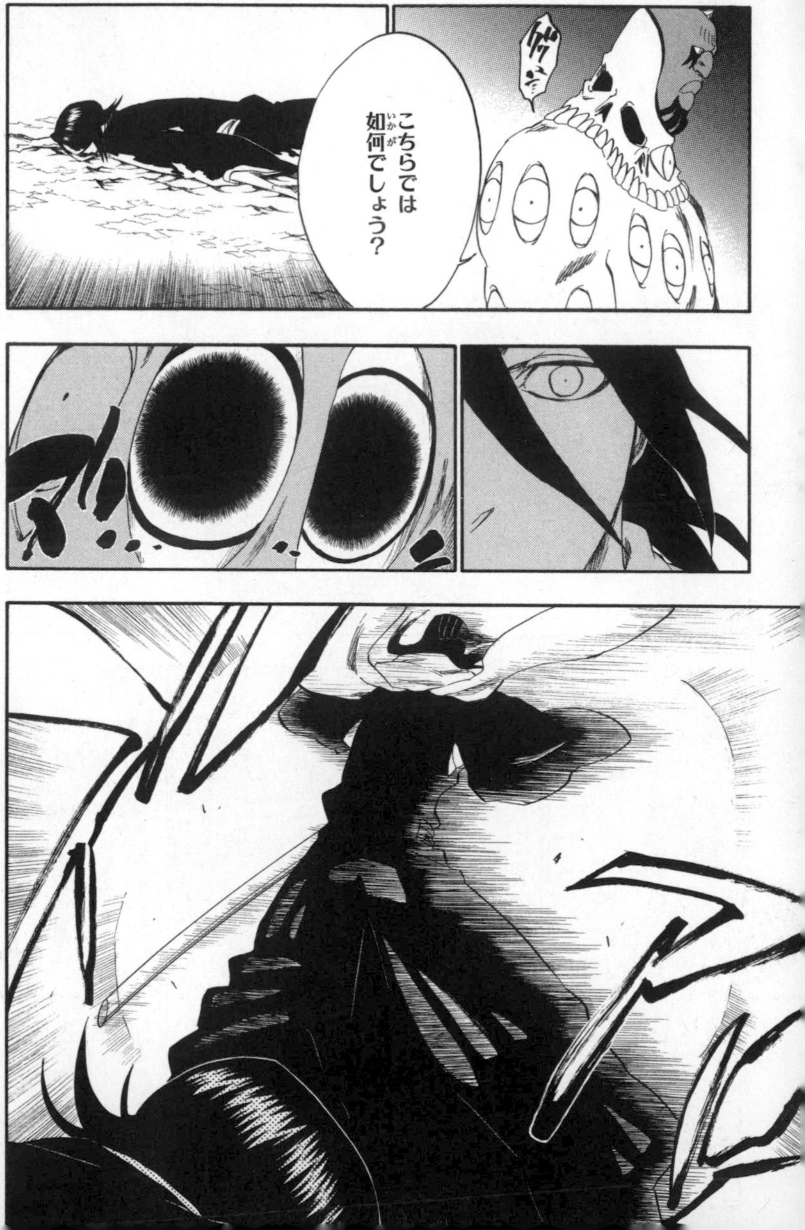

ククク…
こちらでは如何《いかが》でしょう？

ほう
片足《かたあし》でも
そこまで動《うご》けますか
さすがは隊長《たいちょう》
感服《かんぷく》の至《いた》りです
……貴様《きさま》……

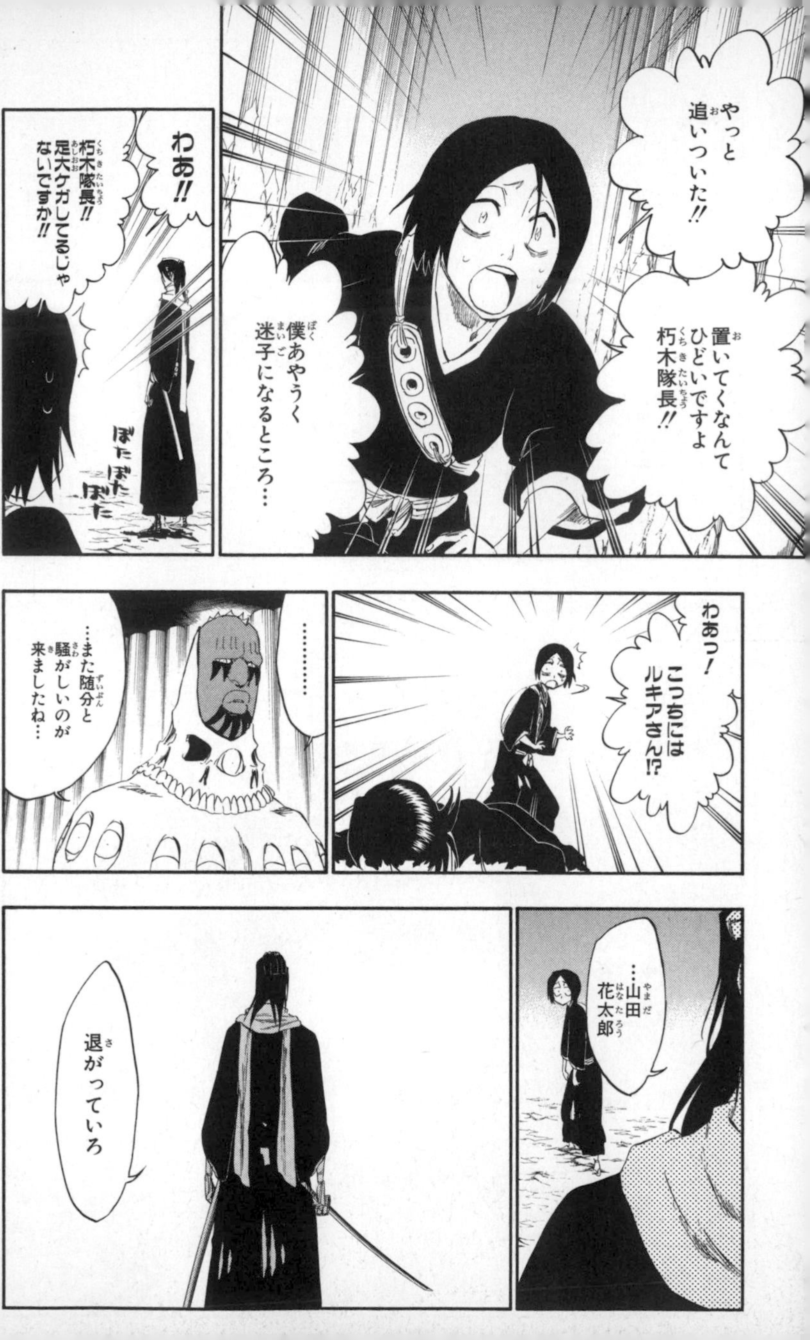
やっと追《お》いついた!!
置《お》いてくなんてひどいですよ朽木隊長《くちきたいちょう》!!
僕《ぼく》あやうく迷子《まいご》になるところ…
わあ!!
朽木隊長《くちきたいちょう》!! 足大《あしおお》ケガしてるじゃないですか!!
ぼた ぼた ぼた
わあっ! こっちにはルキアさん!?
………
…また随分《ずいぶん》と騒《さわ》がしいのが来《き》ましたね…
…山田《やまだ》花太郎《はなたろう》
退《さ》がっていろ

そ…そうですよね！
すぐ退《さ》がります！ジャマですよね!!
邪魔《じゃま》ではない
目障《めざわ》りだ
…………………
もう一度《いちど》言《い》う
退《さ》がっていろ
今《いま》の私《わたし》には…
お前《まえ》を巻《ま》き込《こ》まずに戦《たたか》う保証《ほしょう》はできぬ

スクープ!!
死んだ!?
ネルの飛んでった意識から見た世界
ハァ～～しかしココはドコっスかねぇ…
ぐる
見回してもな～んもない…
…って
ギャ―――!!!
何スかこのエンギでもねぇタイトルロゴは!?

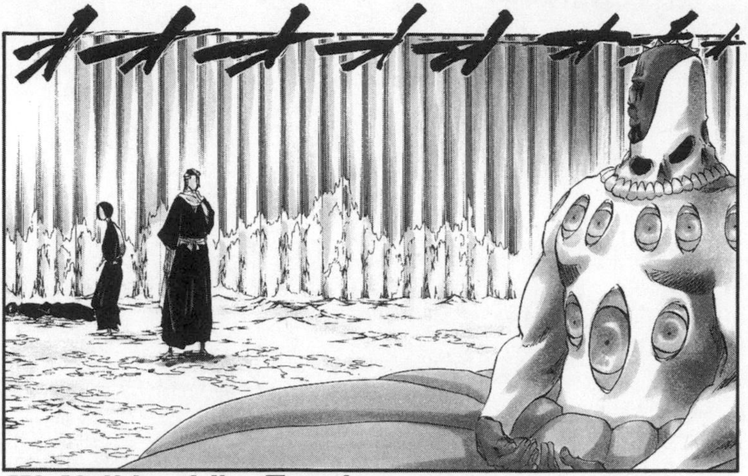

301. Nothing Like Equal

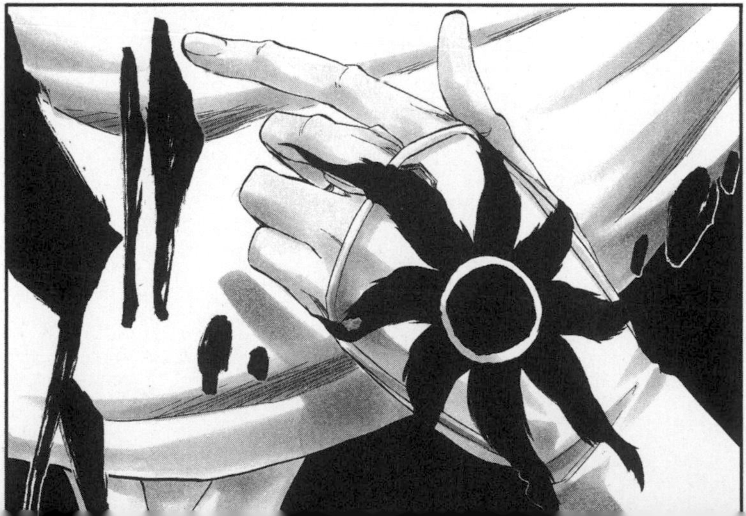

301. Nothing Like Equal

BLEACH
ブリーチ

ドッ

パパッ
…ほう
パパッ

く…　朽木隊長《くちきたいちょう》!?　何《なに》を…
──破道《はどう》の一
"衝《しょう》"
シャン
…あ…
──氷《こおり》を…
退《さ》がれ
山田花太郎《やまだはなたろう》

成程《なるほど》…
左足《ひだりあし》のみならず左手《ひだりて》まで即座《そくざ》に捨《す》てましたか…
支配権《しはいけん》を奪《うば》われた対象《たいしょう》を即座《そくざ》に敵《てき》と見做《みな》し斬《き》り捨《す》てる…
それが己《おのれ》の肉体《にくたい》であっても
何《なん》とも凄《すさ》まじい
自《みずか》らに対《たい》して冷徹《れいてつ》な迄《まで》の決断力《けつだんりょく》だ
しかしその決断《けつだん》
私《わたし》の目《め》には些《いささ》か
軽断《けいだん》と映《うつ》る
貴方《あなた》の四肢《しし》で残《のこ》るのは右手右足《みぎてみぎあし》のみ

十刃《エスパーダ》である私《わたし》に対《たい》して片手片足《かたてかたあし》で挑《いど》むというのは
いかにも傲《おご》りが過《す》ぎる…
そうは思《おも》いませんか？
…言《い》った筈《はず》だ
私《わたし》と貴様《きさま》では
その力《ちから》の格《かく》は天《てん》と地程《ちほど》も隔《へだ》たっている
…難儀《なんぎ》な話《はなし》だ
左手《ひだりて》も捨《す》てた
左足《ひだりあし》も捨《す》てた

それでも未《ま》だ
貴様《きさま》と対等《たいとう》には程遠《ほどとお》い
…残念《ざんねん》です
貴方《あなた》はどうやら
私《わたし》の思《おも》う以上《いじょう》に己《おのれ》の力量《りきりょう》を理解《りかい》しておられない
一《ひと》つ
お伝《つた》えし忘《わす》れていた事《こと》があります

私《わたし》のこの眼《め》は
一《ひと》つにつき一《ひと》つの対象《たいしょう》を〝支配《しはい》〟するということ
ピク…
…理解《りかい》がお早《はや》くて何《なに》よりです
先程私《さきほどわたし》は二《ふた》つの眼《め》を使《つか》って『愛《アモール》』を放《はな》ちました
つまり
貴方《あなた》のその左手以外《ひだりていがい》に
もう一《ひと》つ
別《べつ》のものを支配《しはい》したということ

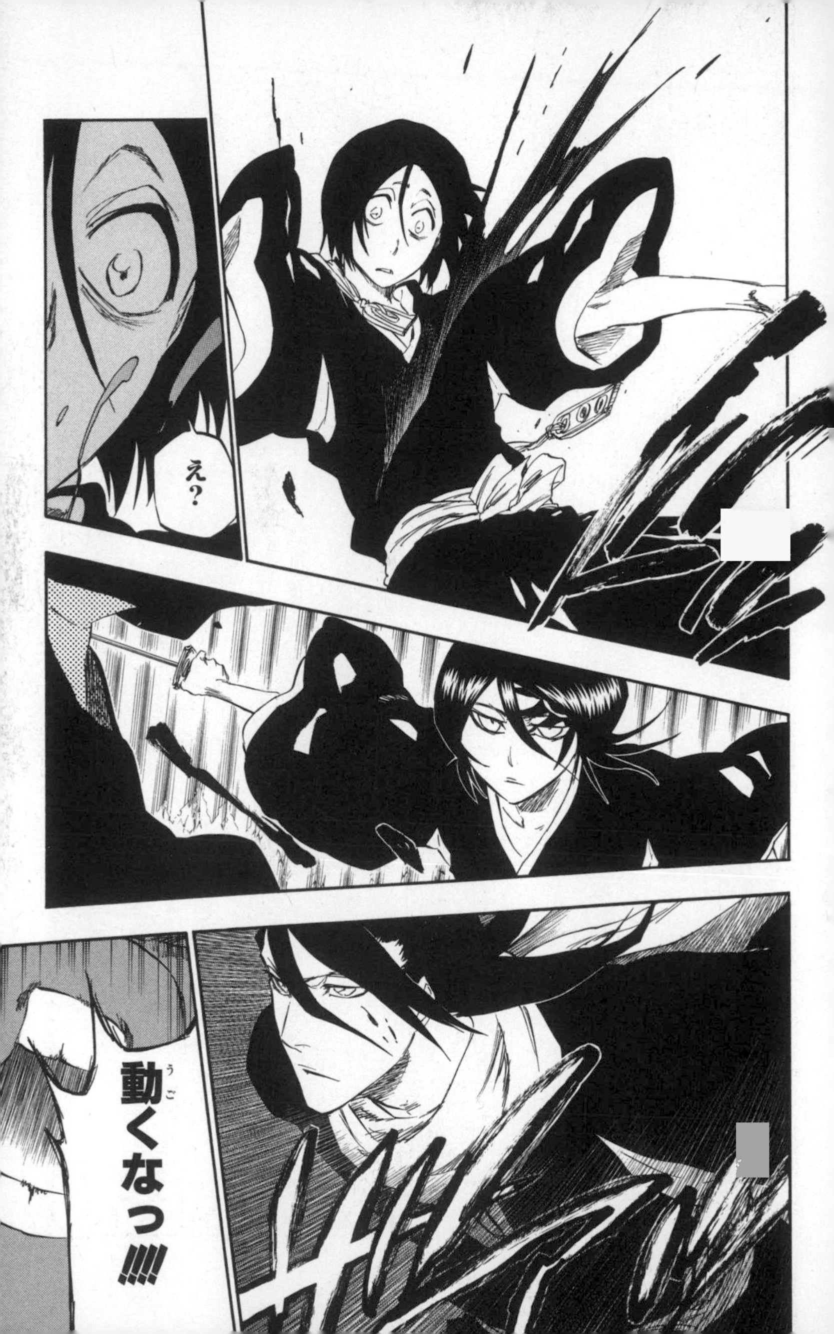
え？
動《うご》くなっ!!!!

支配可能《しはいかのう》なのは一《ひと》つの眼《め》につき一箇所《いっかしょ》

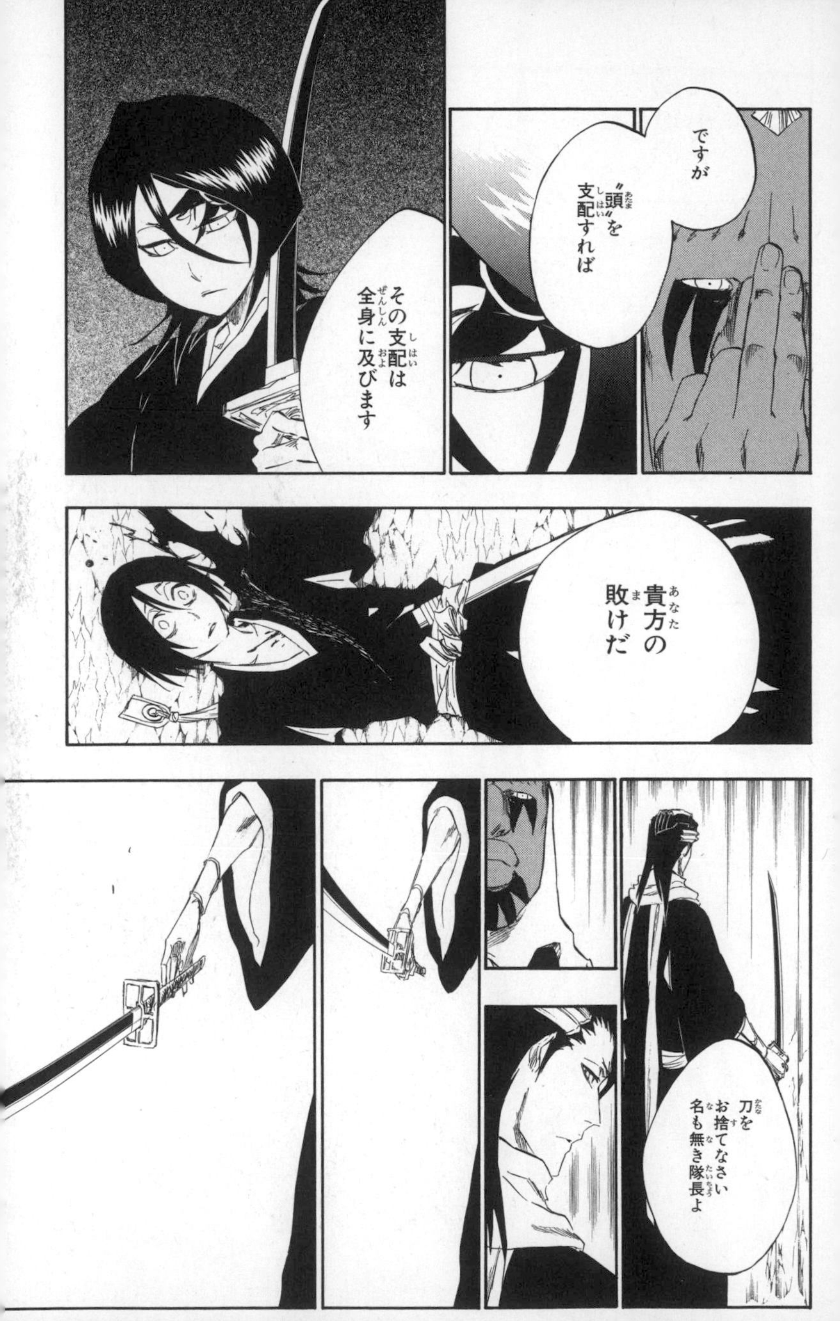
ですが
〝頭《あたま》〟を支配《しはい》すれば
その支配《しはい》は全身《ぜんしん》に及《およ》びます
貴方《あなた》の敗《ま》けだ
刀《かたな》をお捨《す》てなさい名《な》も無《な》き隊長《たいちょう》よ

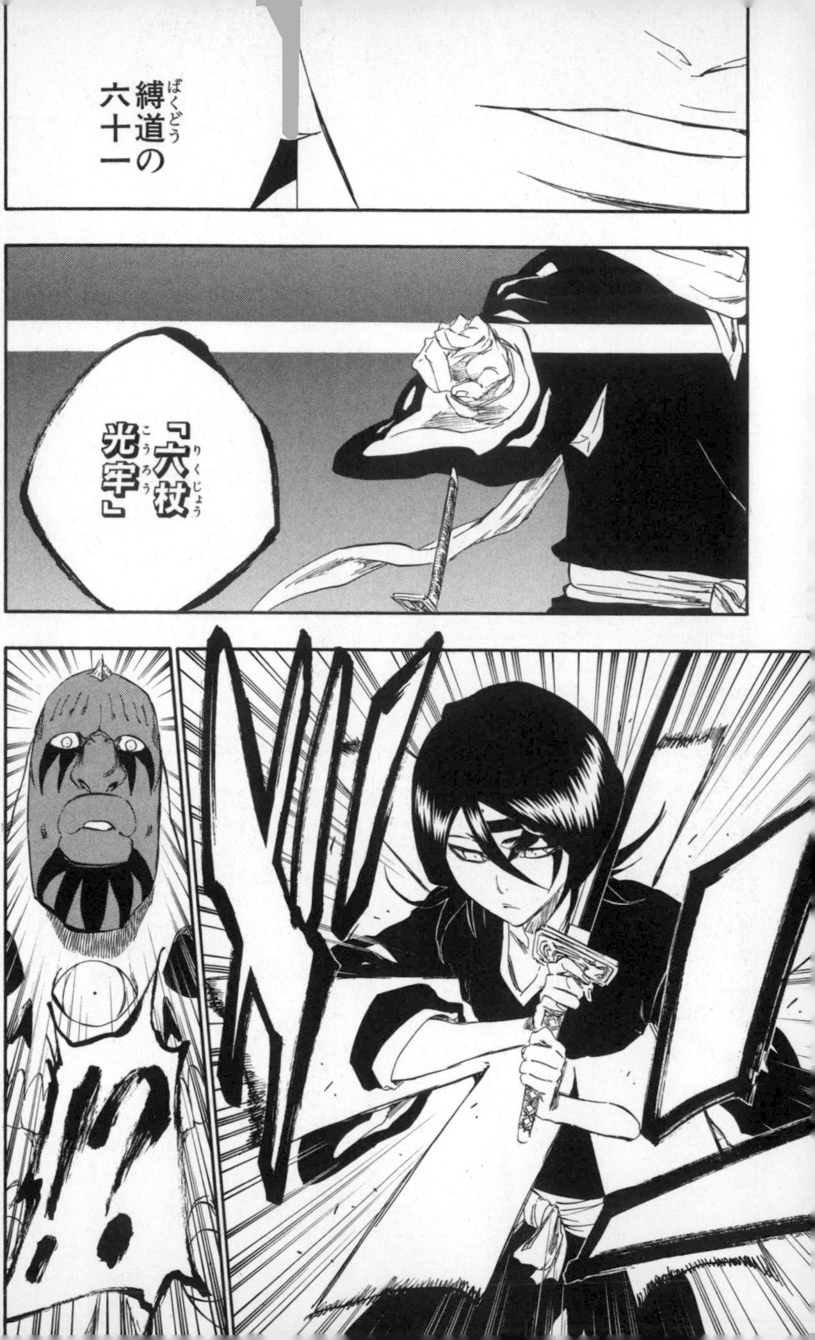
縛道《ばくどう》の六十一
「六杖《りくじょう》光牢《こうろう》」

何《なん》だ…
ゲゲゲ…
ゲゲ
これは…！
くそっ…！
〝支配《しはい》〟…か
そんなもの
私《わたし》の前《まえ》では
何《なん》の意味《いみ》も持《も》たぬ
卍解《ばんかい》

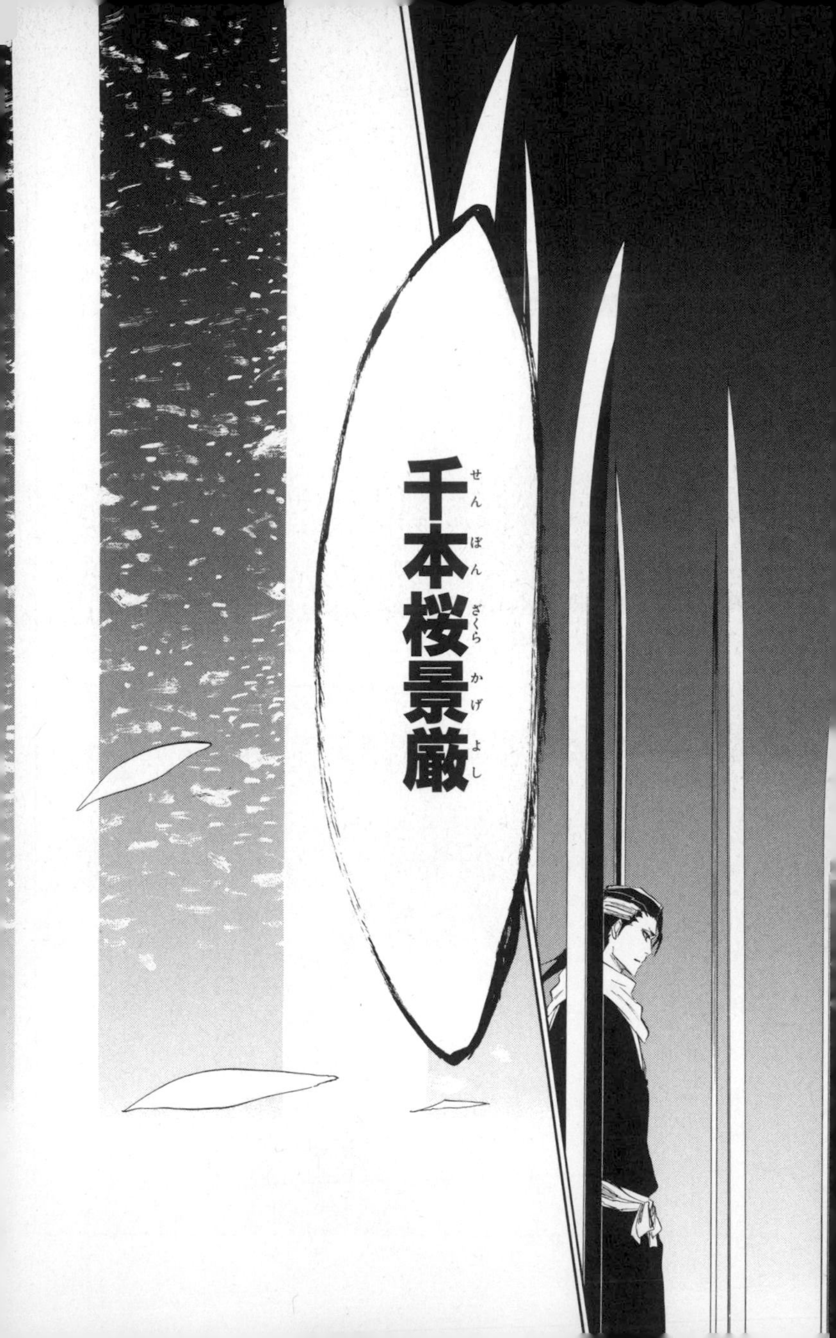

千《せん》本《ぼん》桜《ざくら》景《かげ》厳《よし》

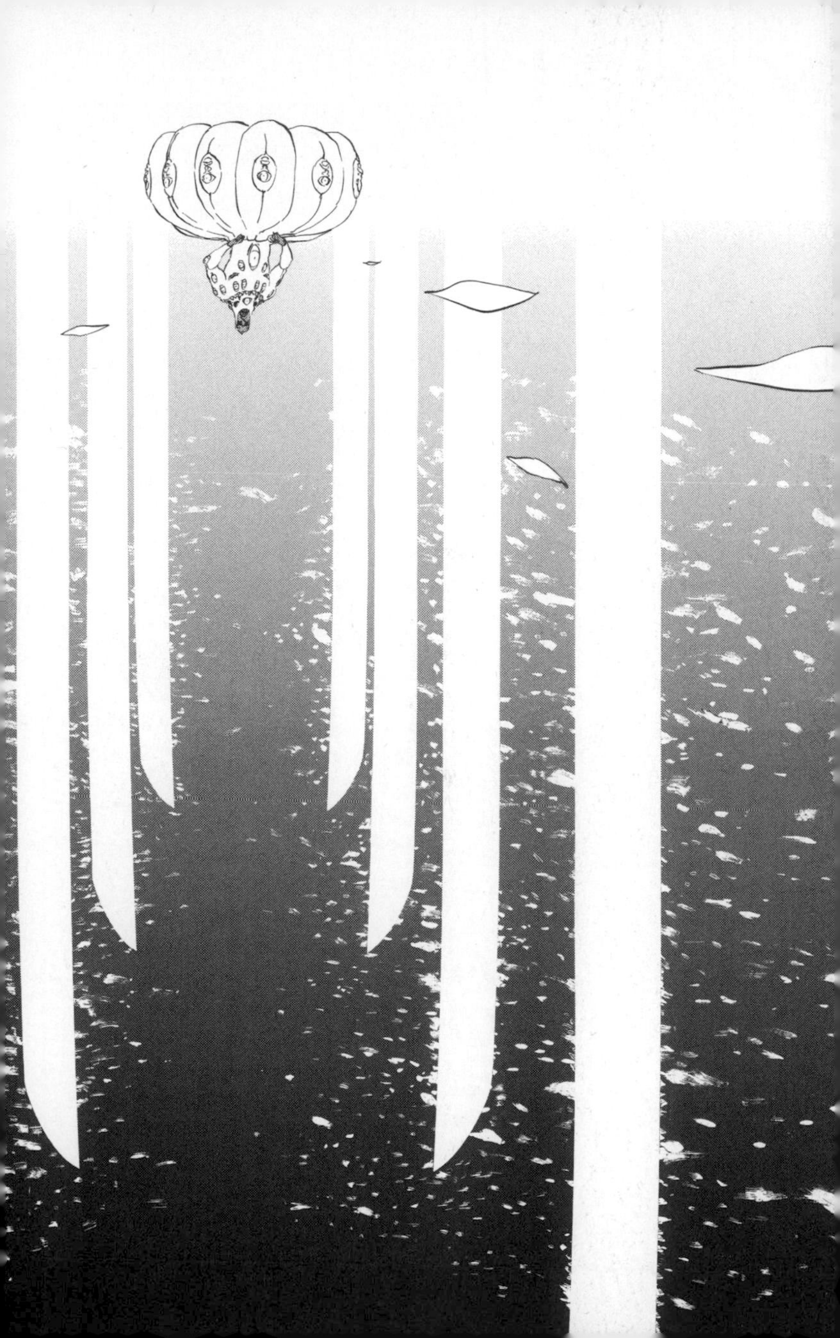

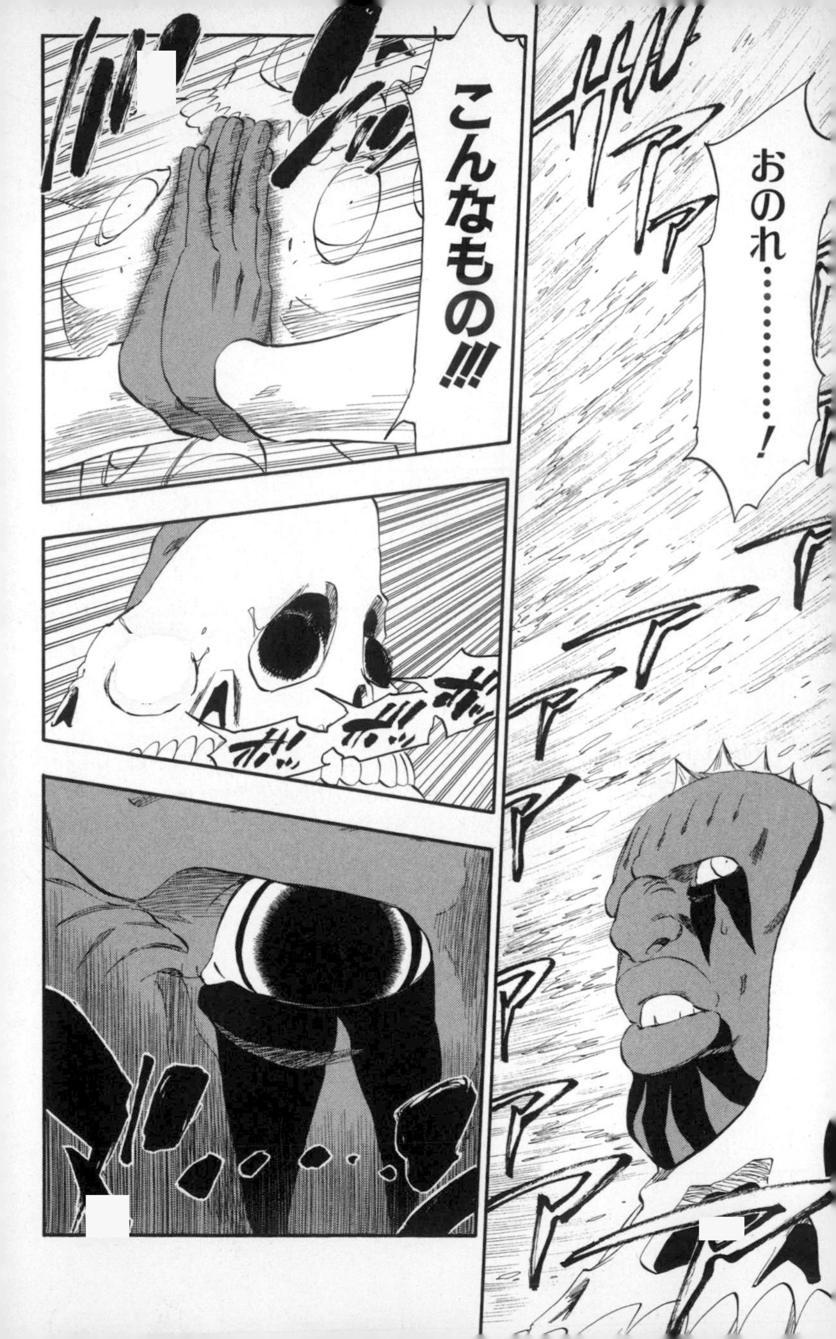
おのれ………!
こんなもの!!!
ボッ
ボッ
ボッ

我《わ》が全霊《ぜんれい》の「愛《アモール》」で全《すべ》て支配《しはい》してくれる!!
止《や》めておけ
ザアァァァ
…一《ひと》つの眼《め》ごとに一《ひと》つ対象《たいしょう》を支配《しはい》すると言《い》ったな
貴様《きさま》の全身《ぜんしん》にある眼《め》の数《かず》は
その両眼《りょうめ》も含《ふく》めて五十
その高《たか》が五十の眼《め》で——

天《てん》を覆《おお》う億《おく》の刃《やいば》の
一体《いったい》どれを支配《しはい》するつもりだ？
オオオオオ
オオオオ
…私《わたし》に「無駄《むだ》」だと言《い》ったな
所詮《しょせん》何《なに》もできぬと
教《おし》えておいてやろう
今《いま》の貴様《きさま》のような状態《じょうたい》を
「無駄《むだ》」と言《い》うのだ
オオオオオ

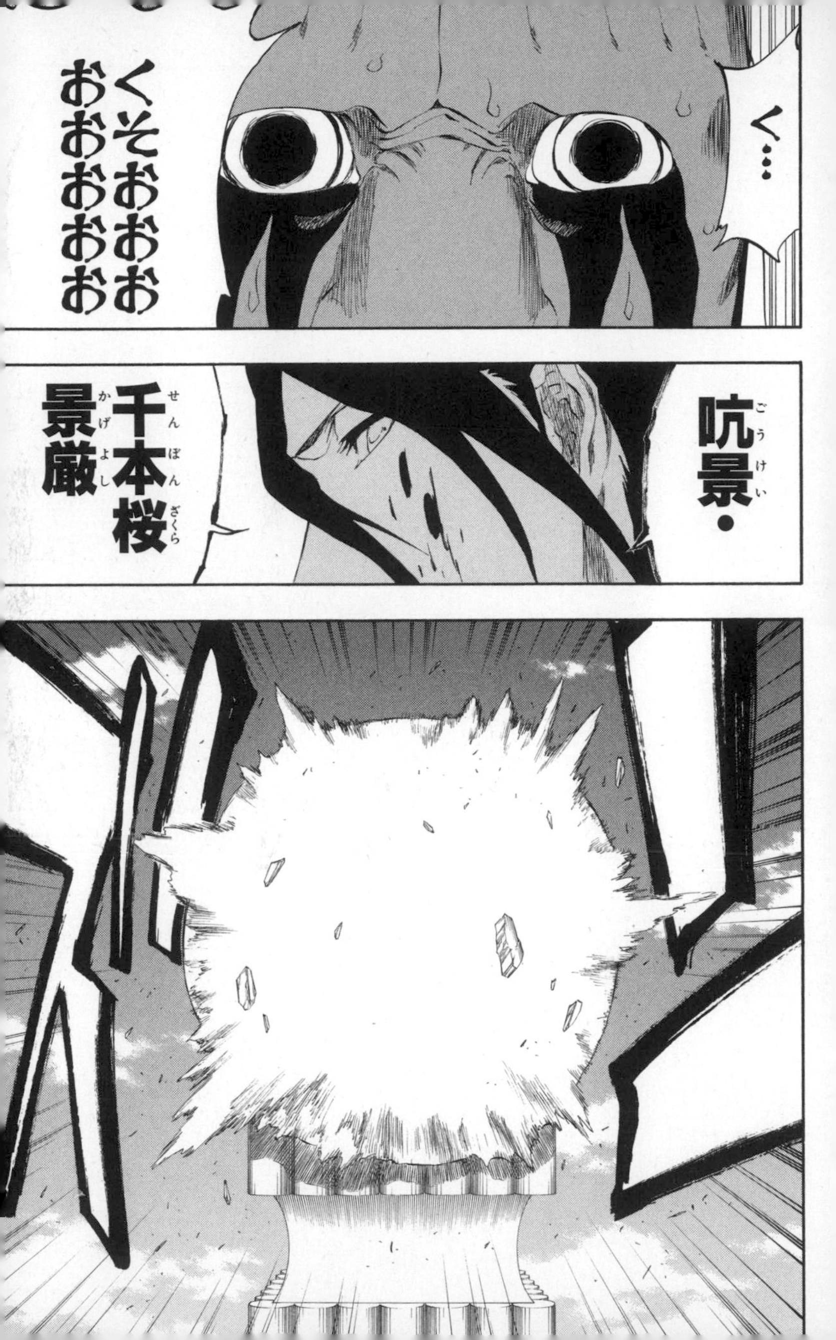
く…
くそおおおおおおおおお
吭景《ごうけい》・
千本桜《せんぼんざくら》景厳《かげよし》

こーしてやるっス!!
ペタコー
スクープ!!
死んだ!?
かも!?
ネルの飛んでった
これでよし!!!
ザマーミロっス~
これでもう死んだとはかぎらないと感じちゃったえ!!
ねーネ~ル~
この声は…

ズズズズズズズズズズ
ザァァァァ
吭景《ごうけい》・
千本桜景厳《せんぼんざくらかげよし》
千本桜景厳《せんぼんざくらかげよし》の
億《おく》の刃《やいば》
その全《すべ》てで
球形《きゅうけい》に敵《てき》を覆《おお》い
全方位《ぜんほうい》から
斬砕《ざんさい》する…
ザ…

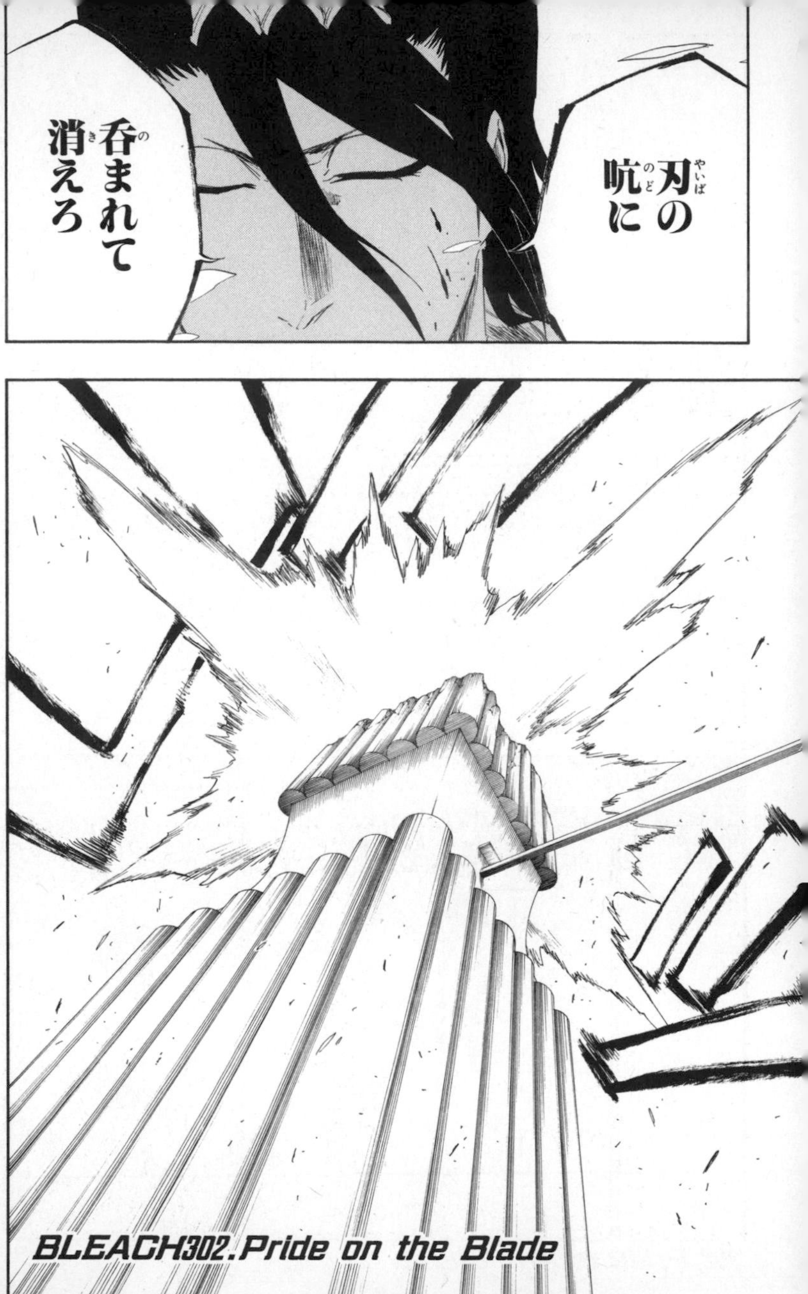
刃《やいば》の吭《のど》に
呑《の》まれて消《き》えろ
BLEACH302.Pride on the Blade

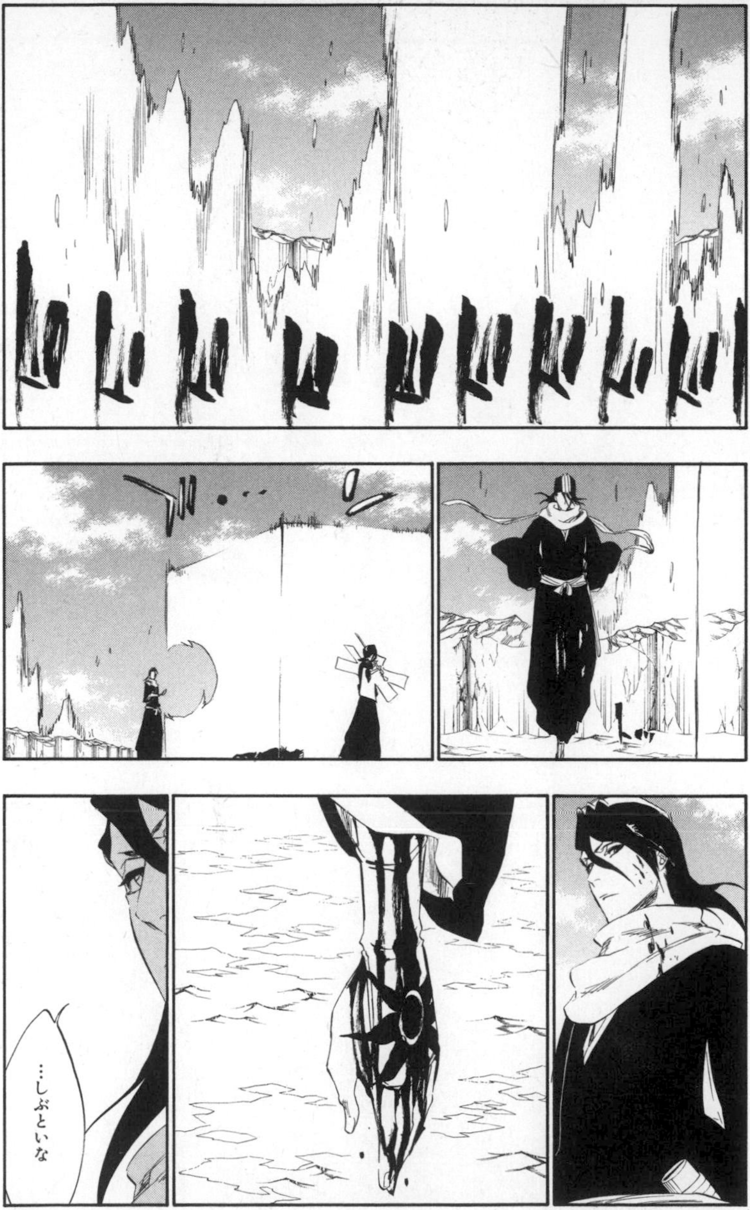
…しぶといな

ブジャッ
ズル…

はつ
はつ
はつ
はつ
はつ……
はつ……
ザアアアアアア
おのれ…
おのれ…
おのれ…

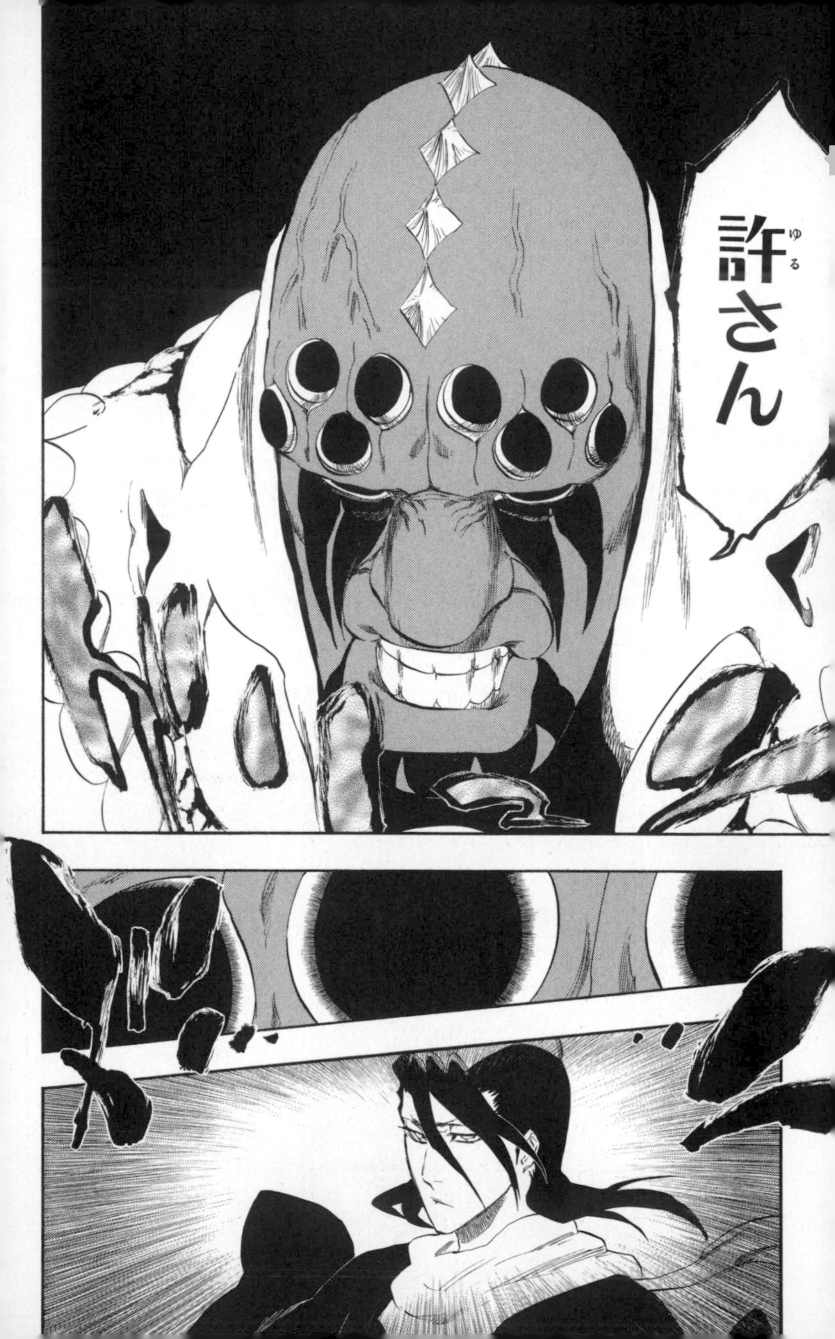
許《ゆる》さん

縛道《ばくどう》の八十一
『断空《だんくう》』
…八十九番以下《ばんいか》の破道《はどう》を完全防御《かんぜんぼうぎょ》する防壁《ぼうへき》だ
六杖光牢《りくじょうこうろう》でルキアの動《うご》きを止《と》められたことから
貴様《きさま》の能力《のうりょく》は鬼道《きどう》に類《るい》するものと判断《はんだん》した

間違《まちが》っては
いなかったらしいな
…ぐ……
くそオッ!!!
私《わたし》の愛《あい》をッ
受《う》けろ!!
受《う》けろ!!
受《う》けろ!!
ズッ
受《う》けろオオオオオオ!!!

焦燥《しょうそう》が視野《しや》を狭《せば》めたな
十刃《エスパーダ》最速《さいそく》の名《な》が泣《な》く
…………
…慈悲《じひ》を………
…何《なん》だ その眼《め》は……
許《ゆる》さぬと言《い》うのか…
斬《き》ると言《い》うのか…
私《わたし》を…
裁《さば》くと言《い》うのか…!

それが傲《おご》りだと言《い》うのが
未《ま》だわからんか!!!!
お前達死神《まえたちしにがみ》は
我等《われら》を斬《き》る
それが当然《とうぜん》で
あるかの様《よう》に!!
貴様等《きさまら》は
神《かみ》にでも
なったつもりか!!!

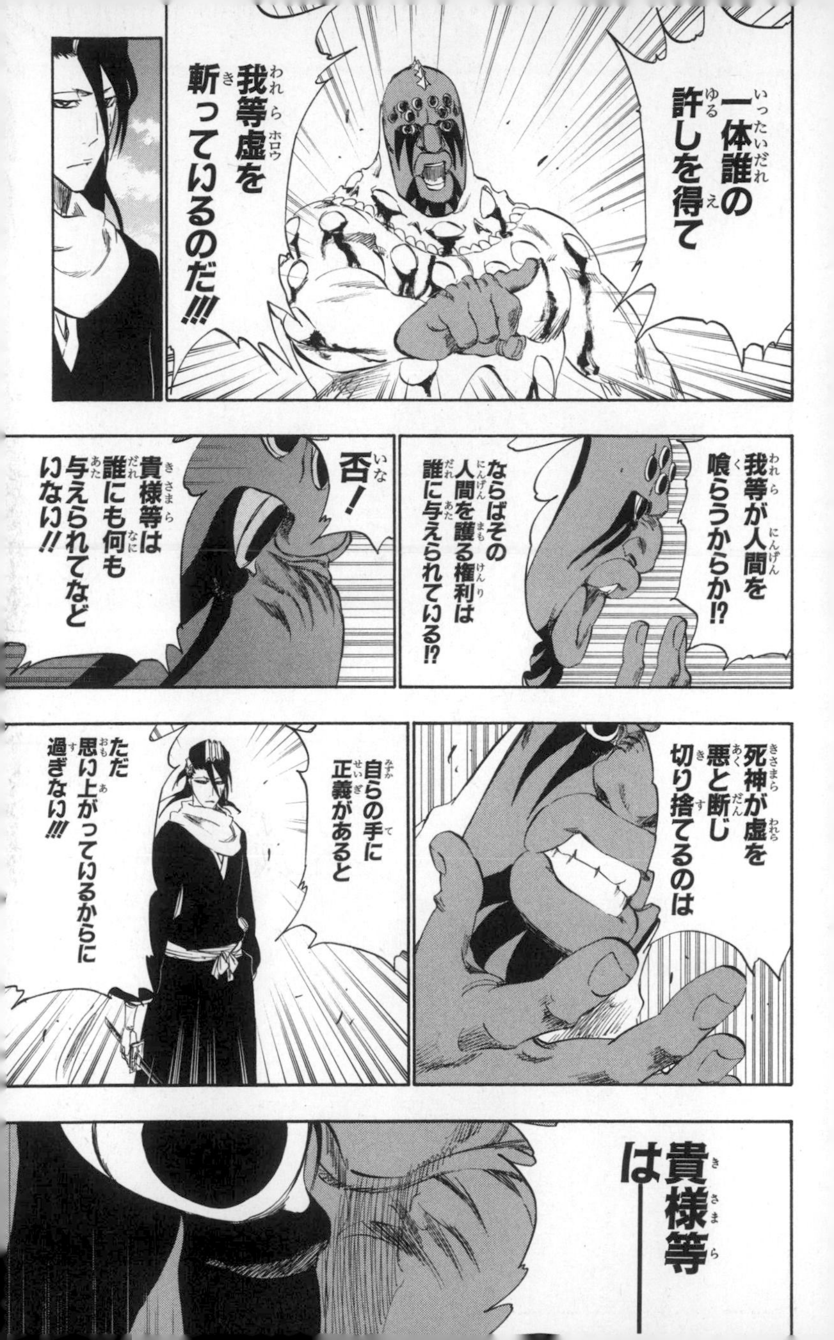
一体誰《いったいだれ》の許《ゆる》しを得《え》て
我等《われら》虚《ホロウ》を斬《き》っているのだ!!!
我等《われら》が人間《にんげん》を喰《く》らうからか!?
ならばその人間《にんげん》を護《まも》る権利《けんり》は誰《だれ》に与《あた》えられている!?
否《いな》!
貴様等《きさまら》は誰《だれ》にも何《なに》も与《あた》えられてなどいない!!
死神《きさまら》が虚《われら》を悪《あく》と断《だん》じ切《き》り捨《す》てるのは
自《みずか》らの手《て》に正義《せいぎ》があると
ただ思《おも》い上《あ》がっているからに過《す》ぎない!!!
貴様等《きさまら》は——

私《わたし》がいつ
"死神《しにがみ》として貴様《きさま》を斬《き》る"などと言《い》った
私《わたし》が貴様《きさま》を斬《き》るのはただ
ドッ
貴様《きさま》が

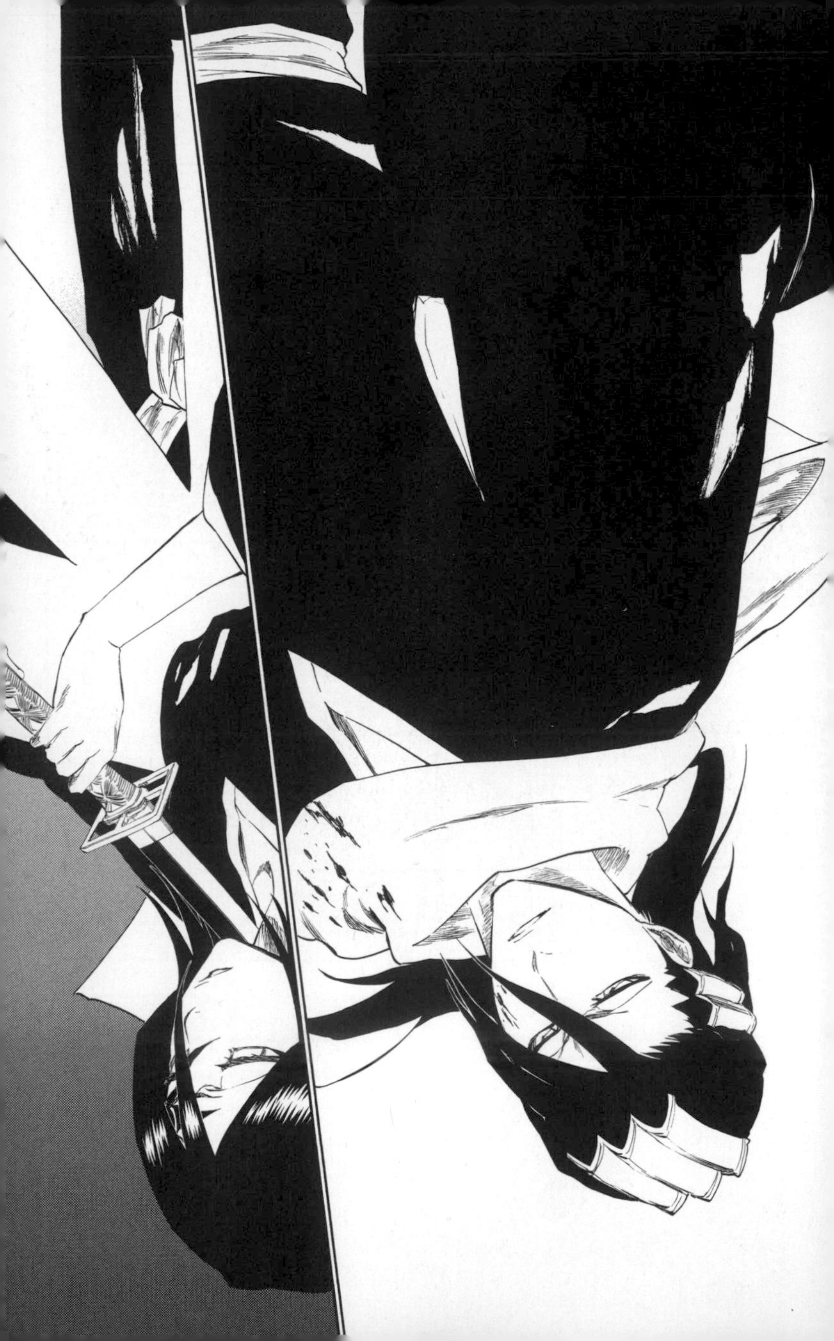

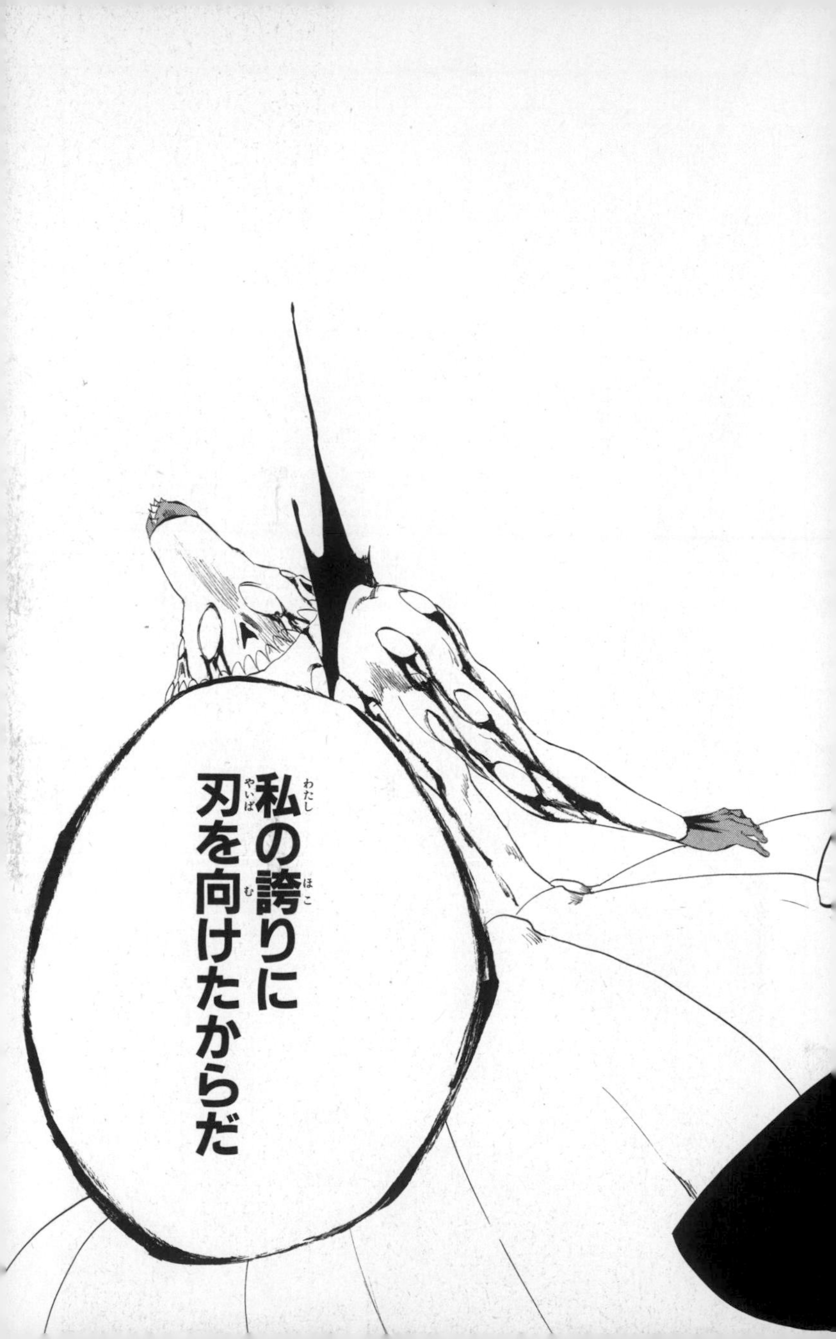
私《わたし》の誇《ほこ》りに刃《やいば》を向《む》けたからだ

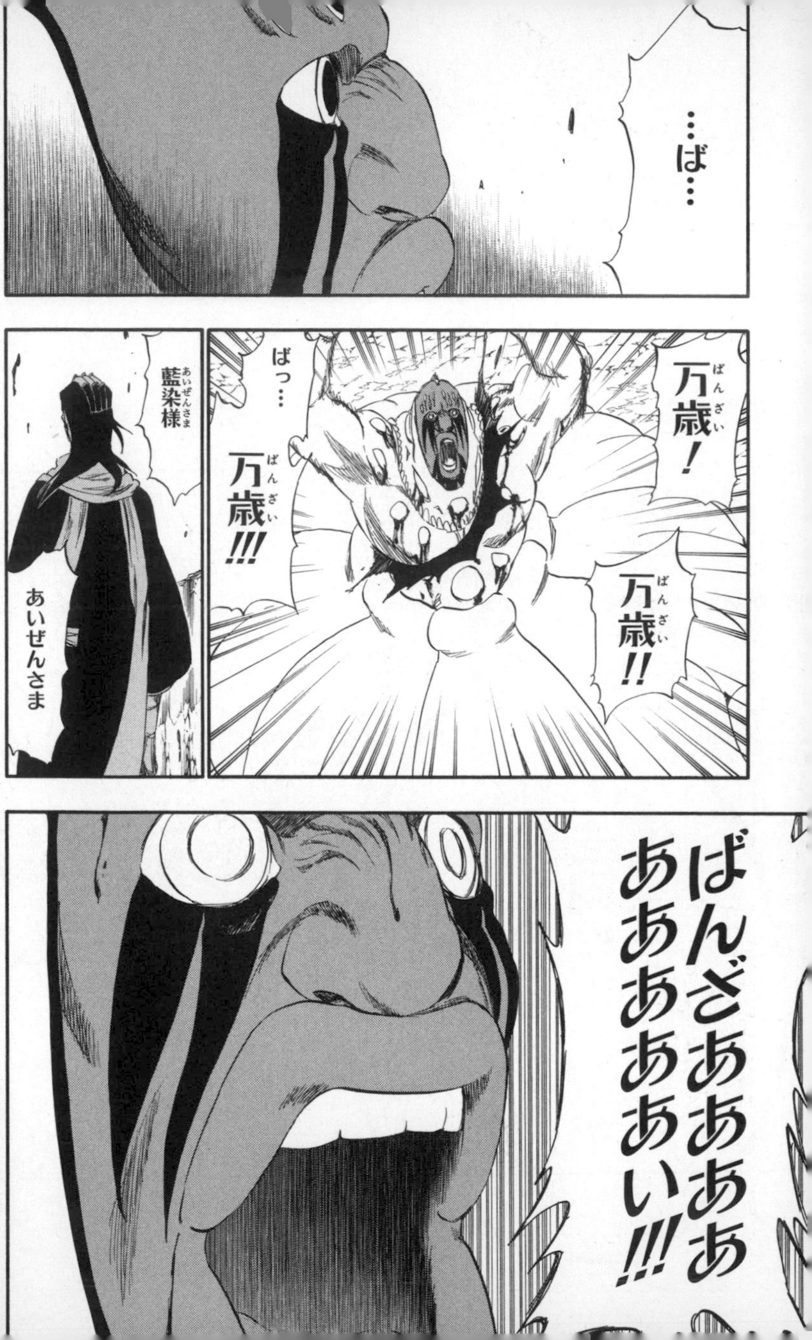
…ば…
万歳《ばんざい》！
万歳《ばんざい》!!
ばっ…
万歳《ばんざい》!!!
藍染様《あいぜんさま》
あいぜんさま
ばんざあああああああい!!!

…終《お》わったぞ
出《で》て来《こ》い

虎徹《こてつ》勇音《いさね》
卯《う》ノ花《はな》隊長《たいちょう》の命《めい》か
はい
山田《やまだ》七席《ななせき》負傷《ふしょう》の霊圧《れいあつ》を察《さっ》し朽木《くちき》隊長《たいちょう》のもとへ向《む》かうようにと…
そうか
…頼《たの》む

はっ…
はっ…
はっ…
…フフフフフフ………

スクープ!!
死んだ!? かも!?
ネルの飛んでった意識から見た世界
パッシェル ドンドチャッカ―!!!
よかったっス―!!! 1人でも別に心細くはなかったけどとりあえず会えてよかったっスー!!
ひどい!!! ウソでも心細いって言ってほしかったでヤンス!!
ていうか我々の登場シーンかっこ!!!

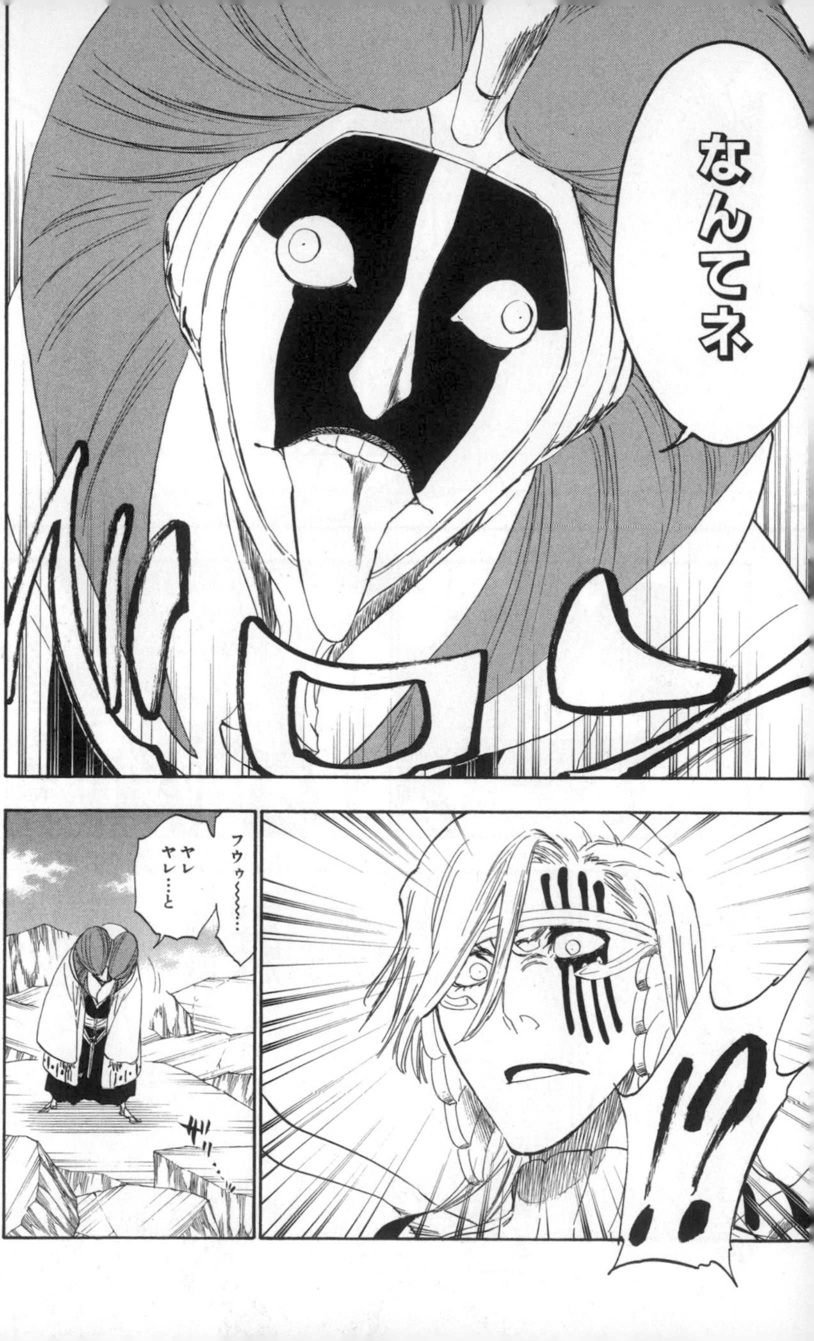
なんてネ
!?
フゥゥ〜〜〜…… ヤレ ヤレ…と
ザリ……

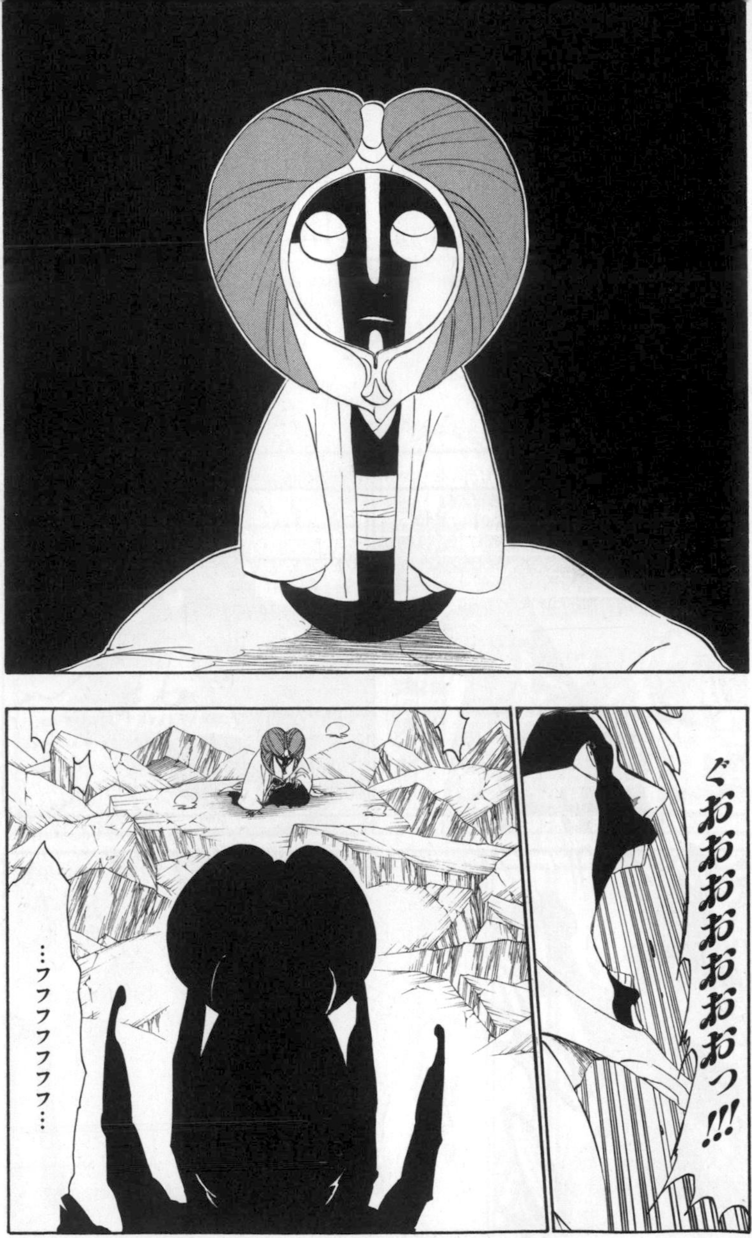

BLEACH303. Dumdum-Dummy-Dumbstruck

何《なん》だと…？
お前《まえ》…
何故《なぜ》まだ
立《た》てるんだ…!?
…………
何《なに》が？
ちっ
ぷっ

…止《や》め給《たま》えヨ
もうその芸《げい》には飽《あ》きたんだ
……く………!
起《お》きろ
ネム
…はい
くそッ!!!

くそッ!!!
くそッ
くそッ
くそッ!!
ボギ
何故《なぜ》だ!!!
内臓《ないぞう》も
腱《けん》も
全部《ぜんぶ》潰《つぶ》した!!
なのに何故《なぜ》
お前《まえ》は死《し》なない!!
一体何《いったいなん》の
能力《のうりょく》だ!!!

五月蝿《うるさ》い奴《やつ》だネ
何《なん》の能力《のうりょく》でも無《な》いヨ
ただ君《きみ》の能力《のうりょく》は・・見《み》・飽《あ》・き・たと言《い》っているだけだ
何《なん》…だと…？
私《わたし》はとても用心深《ようじんぶか》い性格《せいかく》でネ…
一度《いちど》戦《たたか》った相手《あいて》には必《かなら》ず
戦《たたか》いの最中《さなか》にある仕《し》・掛《か》・け・を施《ほどこ》しておくんだヨ
そこの滅却師《クインシー》
！
奴《やつ》の体内《たいない》に私《わたし》は
無数《むすう》の監視用《かんしよう》の菌《きん》を感染《かんせん》させている

な…っ!?
君《きみ》らの戦《たたか》いは その菌《きん》を通《とお》して 全《すべ》て観察《かんさつ》させて貰《もら》ったヨ
だから虚圏《ここ》へ来《く》る直前《ちょくぜん》に
全《すべ》ての腱《けん》と臓器《ぞうき》に ダミーを一《ひと》つずつ 揃《そろ》えてから来《き》た
!!!
バカな…
僕《ぼく》がこの能力《のうりょく》を 見《み》せてから まだ 1時間《じかん》も経《た》ってないぞ…
そんな短時間《たんじかん》で そんな真似《まね》…
できる訳《わけ》が 無《な》い…!

それができるから
此処《ここ》に居《い》る訳《わけ》だが
…………
ま…
待《ま》て!!

何《なん》だネ…
五月蝿《うるさ》いヨ
うるさい!?
まだ一言《ひとこと》しか
喋《しゃべ》ってないだろ!
菌《きん》て何《なん》だ!!
いつの間《ま》に
そんなもの
つけた!?
あの戦《たたか》いの
最中《さいちゅう》にか!?
僕《ぼく》は何《なに》も
聞《き》いてないぞ!!
観察《かんさつ》って
一体《いったい》どの程度《ていど》
見《み》えてるんだ!?
普段《ふだん》の生活《せいかつ》も
観察《かんさつ》してるんじゃ
ないだろうな!?
人権侵害《じんけんしんがい》だ!
今《いま》すぐ外《はず》せっ!!
大体《だいたい》お前《まえ》は…
…ってさっきから
何《なん》だその顔《かお》!?
人《ひと》の話《はなし》
聞《き》いてるのか!?
…黙《だま》れ
外道《げどう》
先《さき》に
言《い》われた───!!!
外道《げどう》は
お前《まえ》だろ!!
お前《まえ》が…
うっ
げほっ
ごほっ
やめろ石田《いしだ》!!
もう喋《しゃべ》るな!!
ズ…

ハッ!

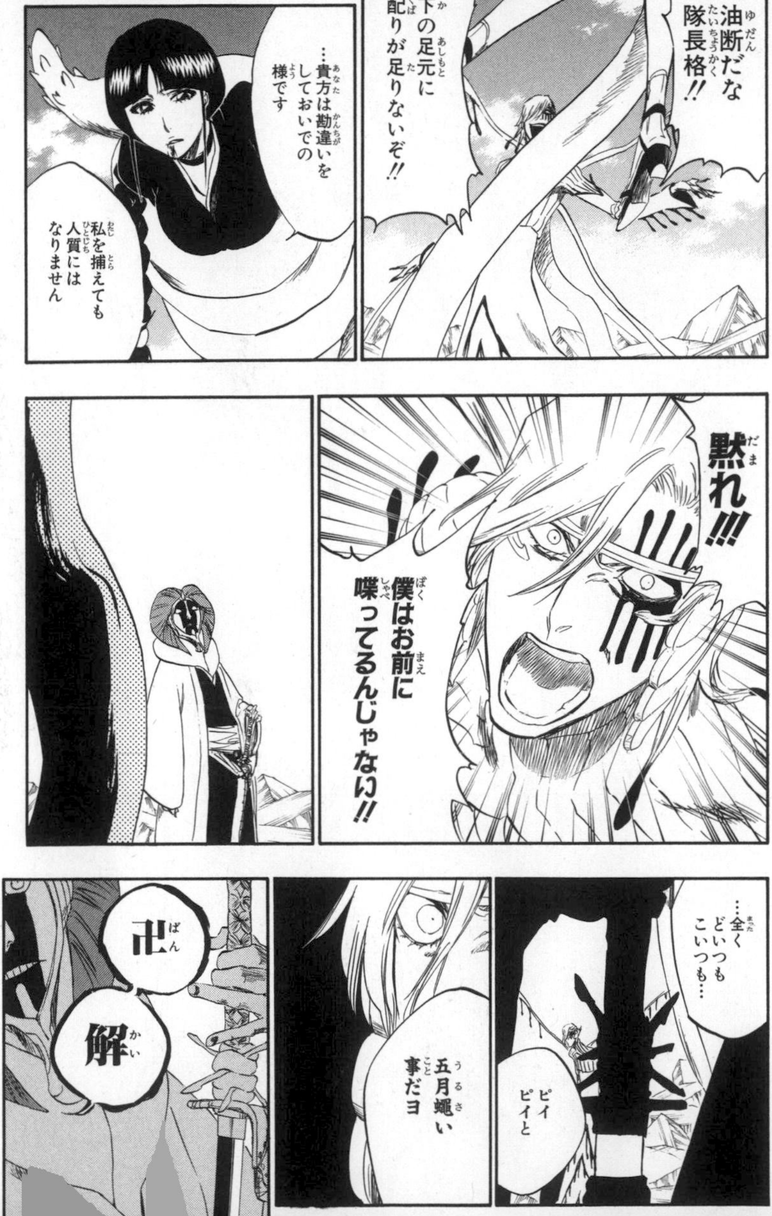
油断《ゆだん》だな
隊長格《たいちょうかく》!!
部下《ぶか》の足元《あしもと》に
気配《きくば》りが足《た》りないぞ!!
…貴方《あなた》は勘違《かんちが》いを
しておいでの
様《よう》です
私《わたし》を捕《とら》えても
人質《ひとじち》には
なりません
黙《だま》れ!!!
僕《ぼく》はお前《まえ》に
喋《しゃべ》ってるんじゃない!!
…全《まった》く
どいつも
こいつも…
ピイ
ピイと
五月蠅《うるさ》い
事《こと》だヨ
卍《ばん》
解《かい》

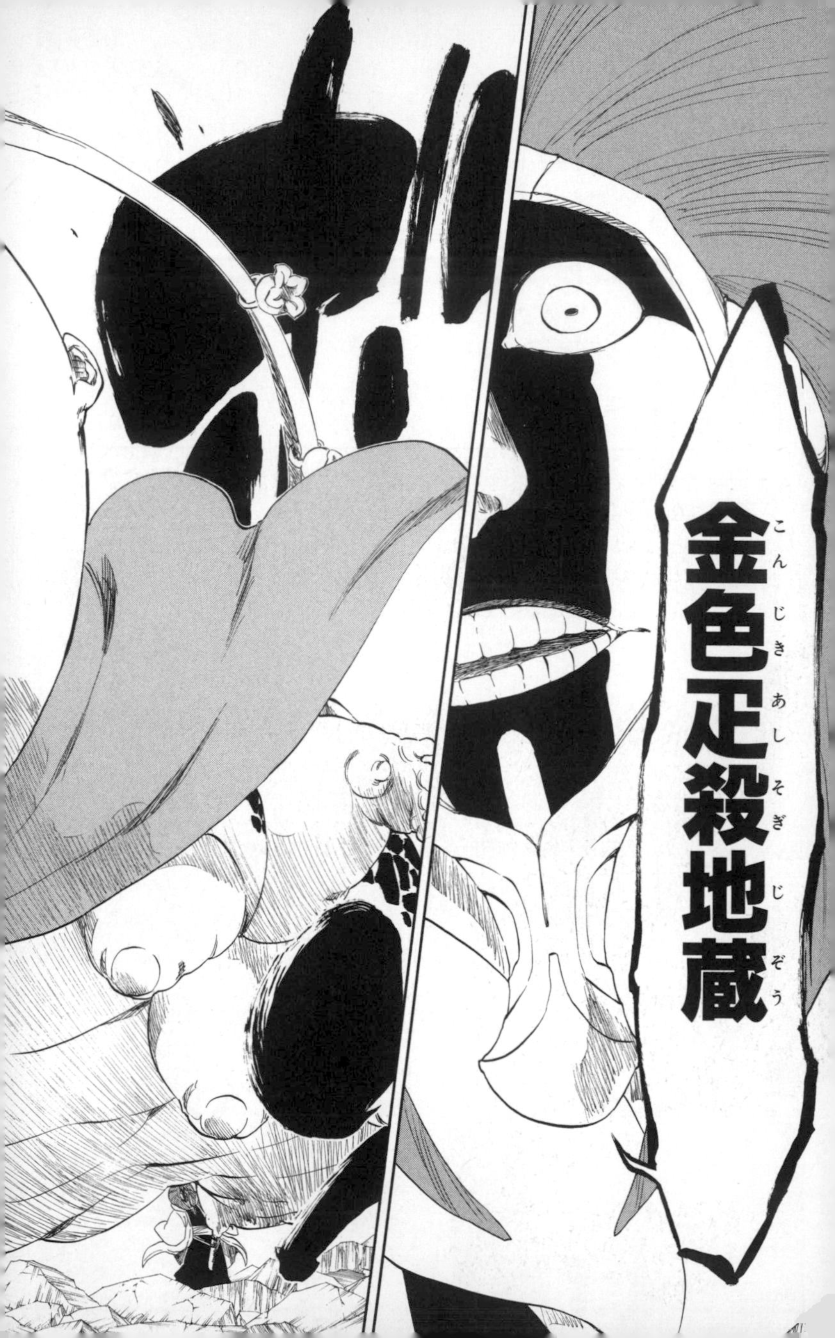
金色疋殺地蔵《こんじきあしそぎじぞう》

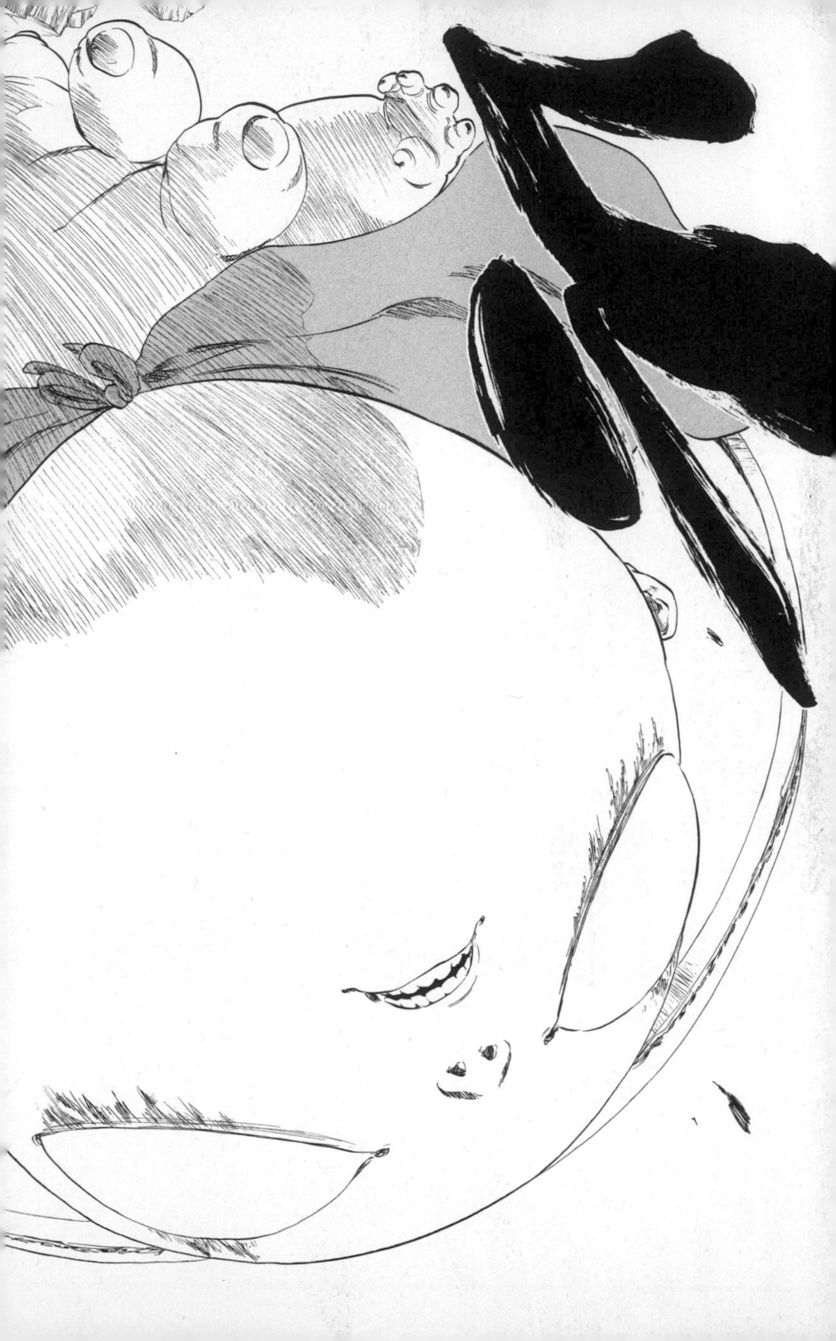

ooooooooooooooooooooooなooooooo
何《なん》なんだこいつは……!?
一体《いったい》どこから……
あ

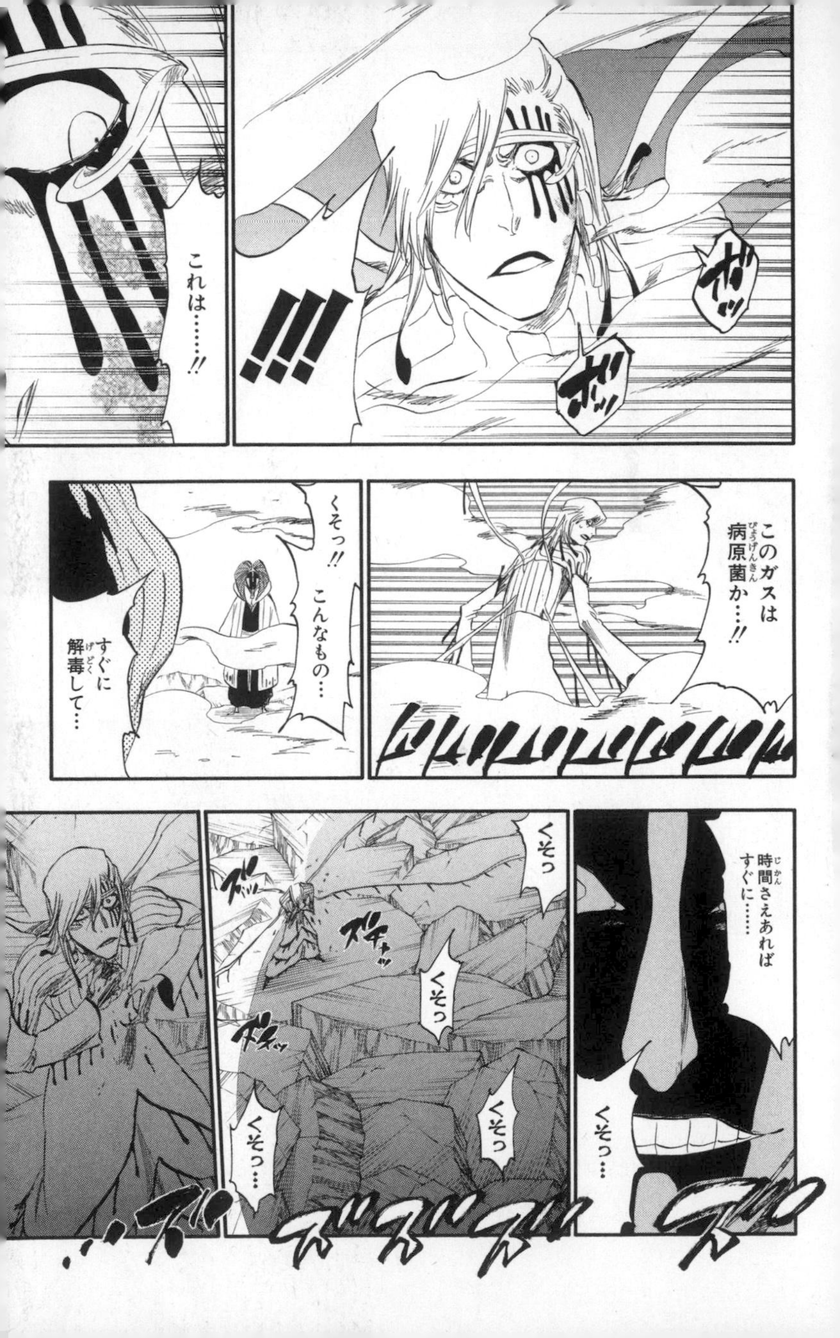

ボッ
ボッ
これは……!!
このガスは
病原菌《びょうげんきん》か…!!
くそっ!!
こんなもの…
すぐに
解毒《げどく》して…
時間《じかん》さえあれば
すぐに……
くそっ
くそっ
くそっ
くそっ…
くそっ…
ズキャッ
ズンズンズン

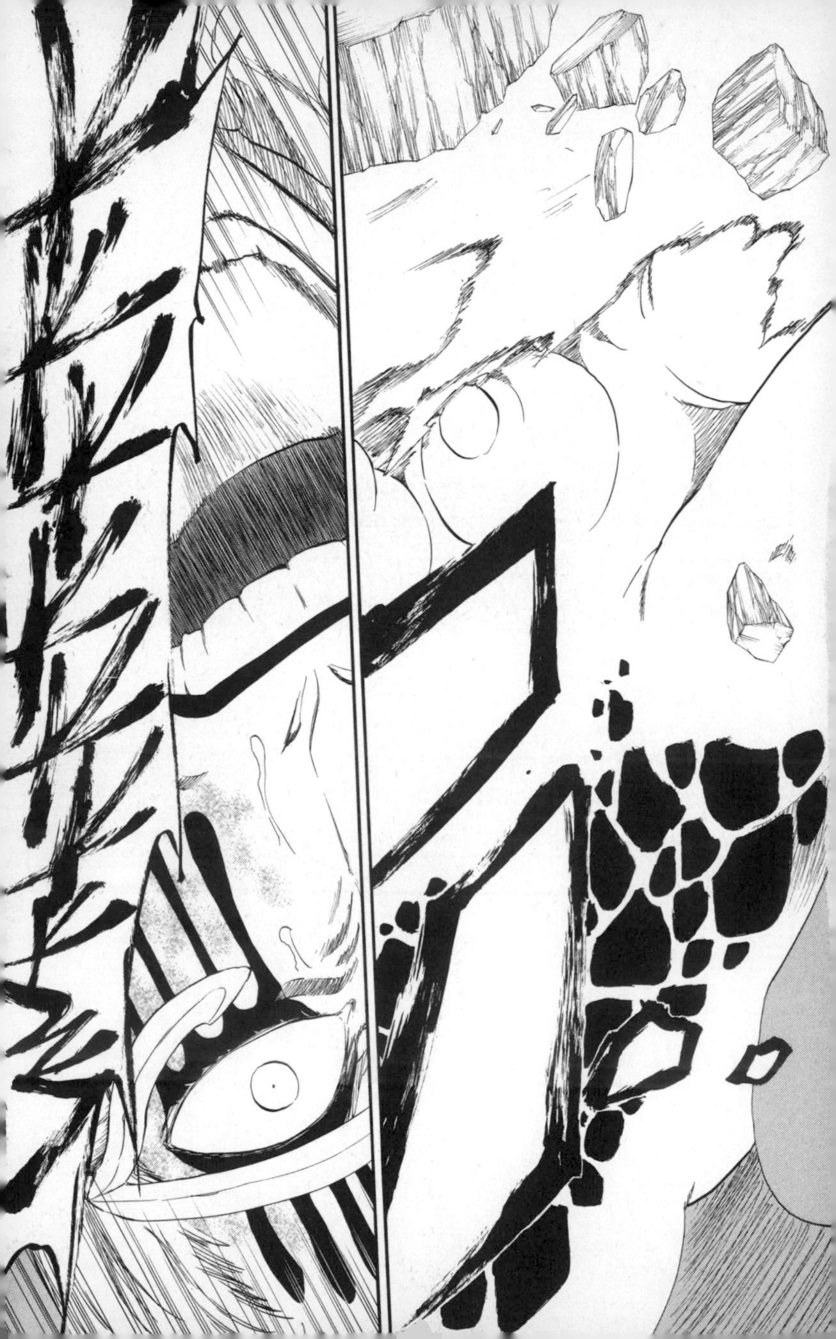

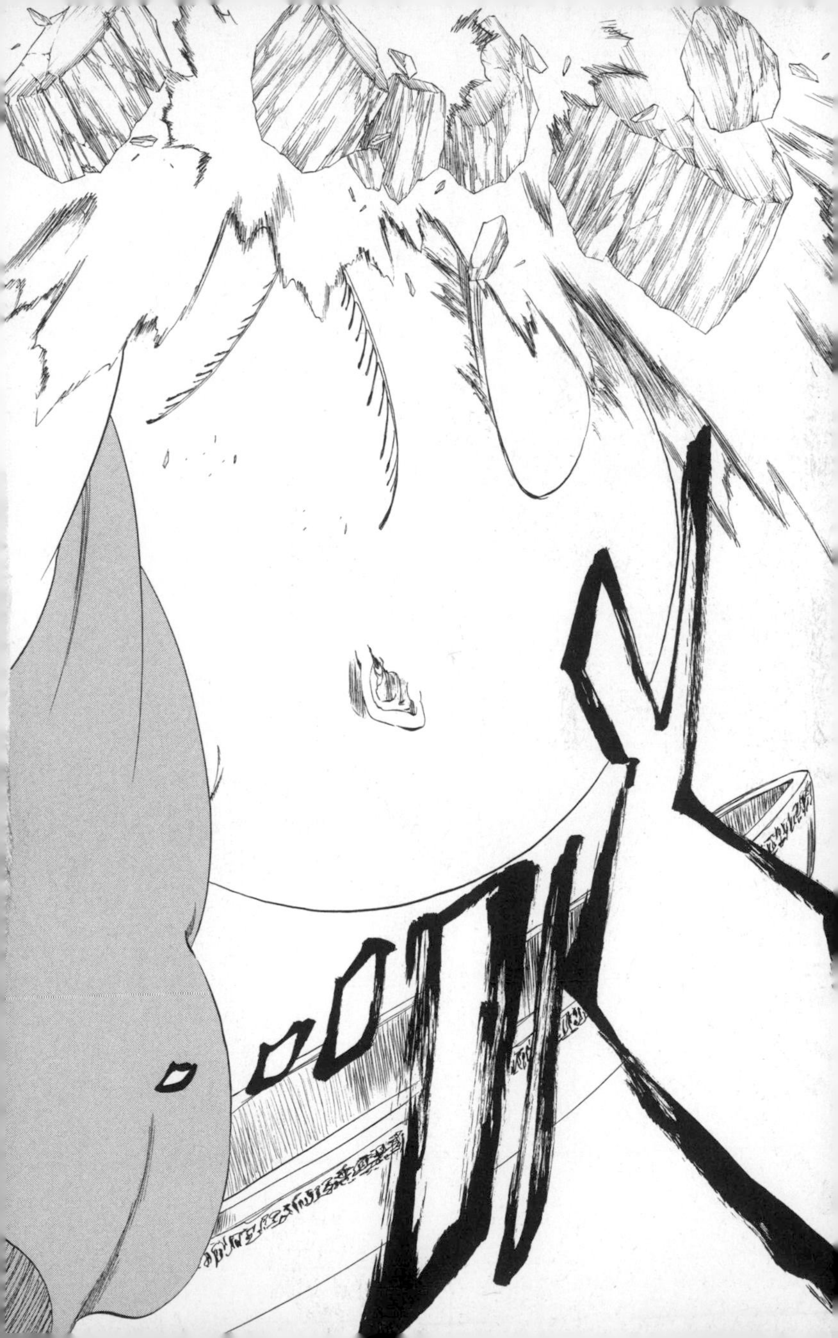

スクープ!!
死んだ!?
かも!?
ネルの飛んでった意識が
ゆく世界
ここに来るってことは
ペッシェ達も死んだっスかっ…
し…
死んでない!!
対面早々
なんてことを
言い出すのだ
エンギでもない!!
安心しろ!
私たちもお前も
死んでなどいない!!
ここは気絶した
者達が一時的に
おとずれる世界…
キゼツ・ソサエティ
なのだ!!

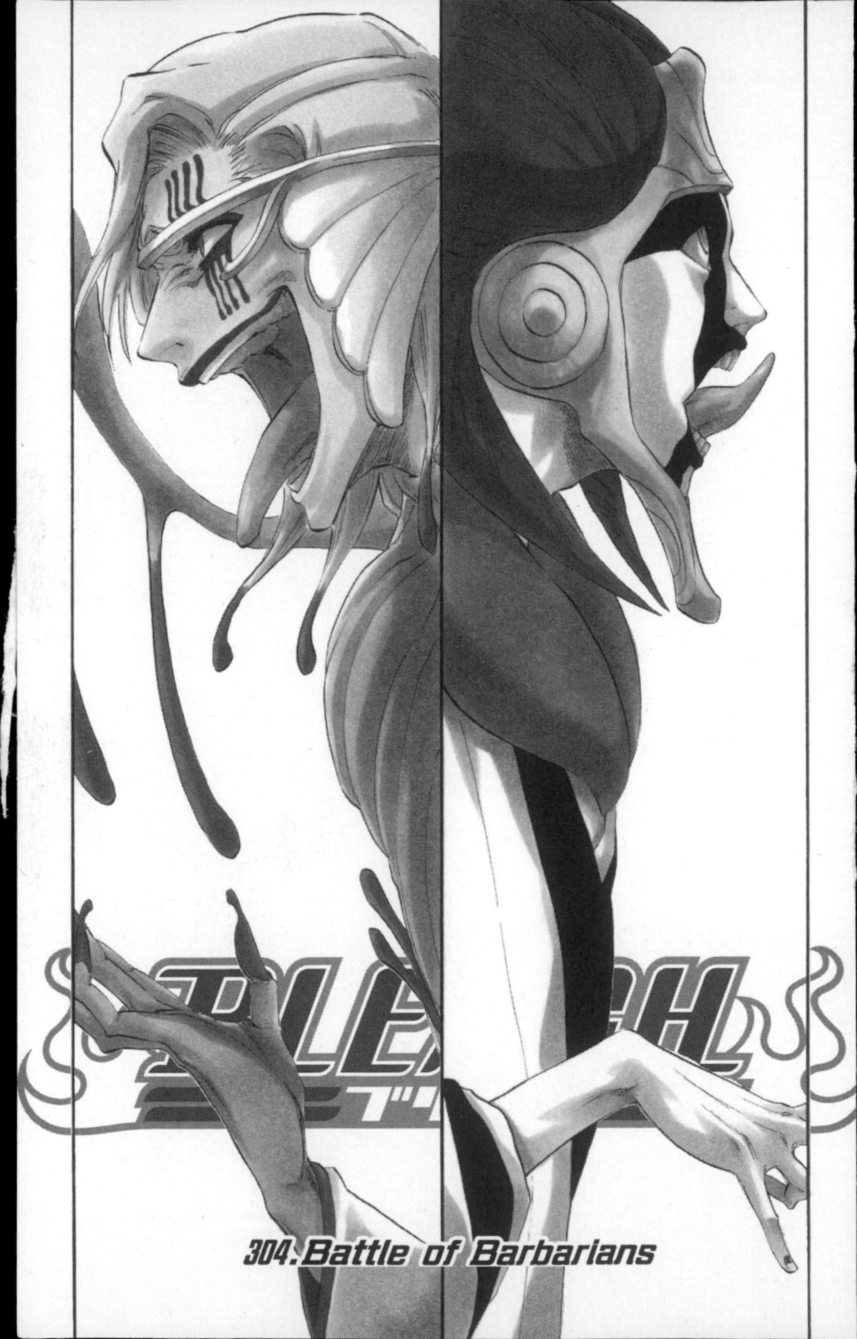
304.Battle of Barbarians

BLEACH
ブリーチ

よかった……！
目《め》が覚《さ》めましたね……！
虎徹《こてつ》副隊長《ふくたいちょう》……!?
花太郎《はなたろう》……！
何故《なぜ》……
いつ虚圏《ここ》へ……？
あ！
まだ治療中《ちりょうちゅう》です
じっとしてて下《くだ》さい！

白哉《びゃくや》…
兄様《にいさま》…！
黙《だま》れ
完治《かんち》するまで動《うご》くな
虎徹副隊長《こてつふくたいちょう》の指示《しじ》が聞《き》こえなかったのか
兄様《にいさま》…
羽織《はおり》が…

構《かま》うな
お怪我《けが》を…!
構《かま》うなと言《い》っている
今《いま》はただ伏《ふ》して
完治《かんち》の時《とき》を待《ま》て
この先《さき》にある
真《しん》の戦《たたか》いの為《ため》に

…井上《いのうえ》…
頼《たの》む…
うん！
今《いま》待《ま》ってて…
先《さき》に…
俺《おれ》より先《さき》に…
ネルを治《なお》してやってくれ…

わかった！
すぐ治《なお》してくるね!!

ん〜〜〜〜
聞《き》こえる…
聞《き》こえるヨ…

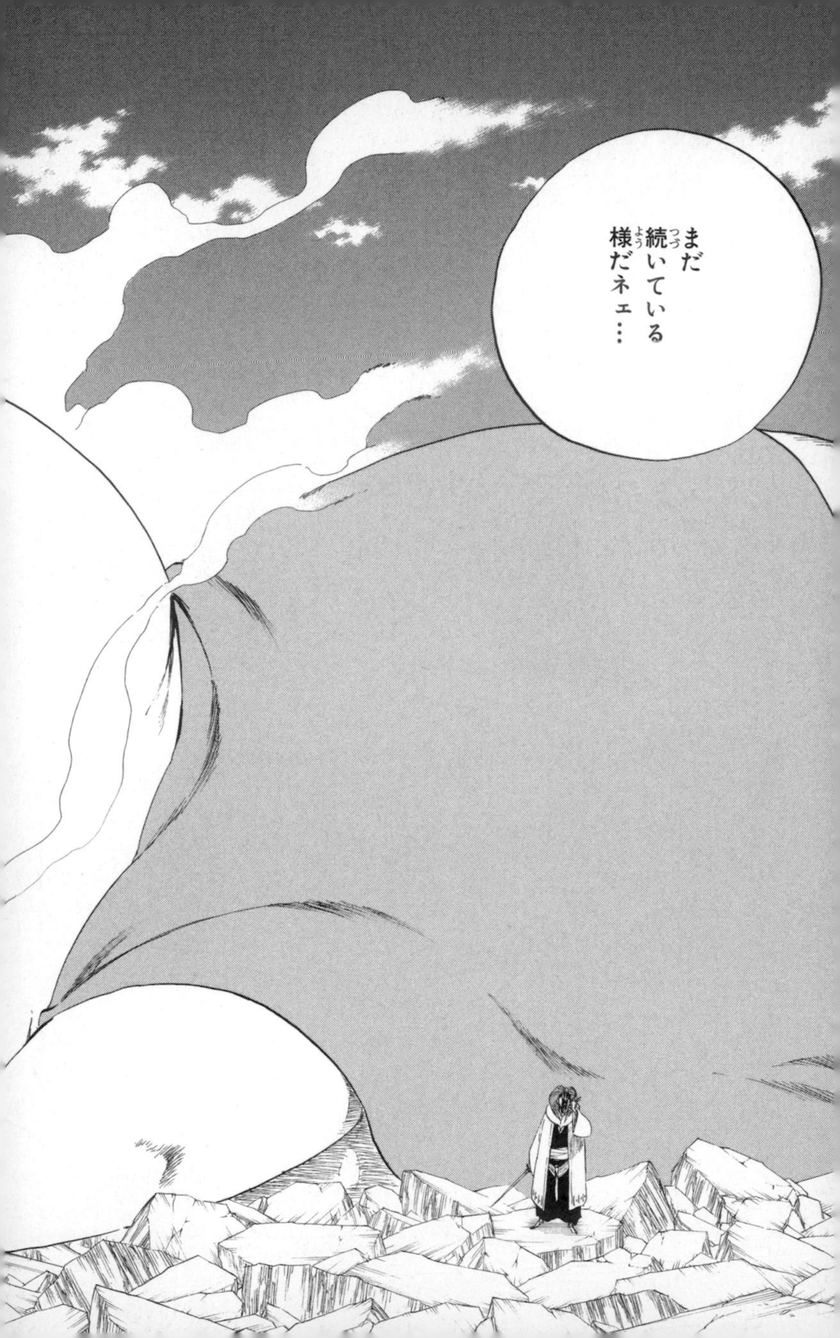
まだ続《つづ》いている様《よう》だネエ…

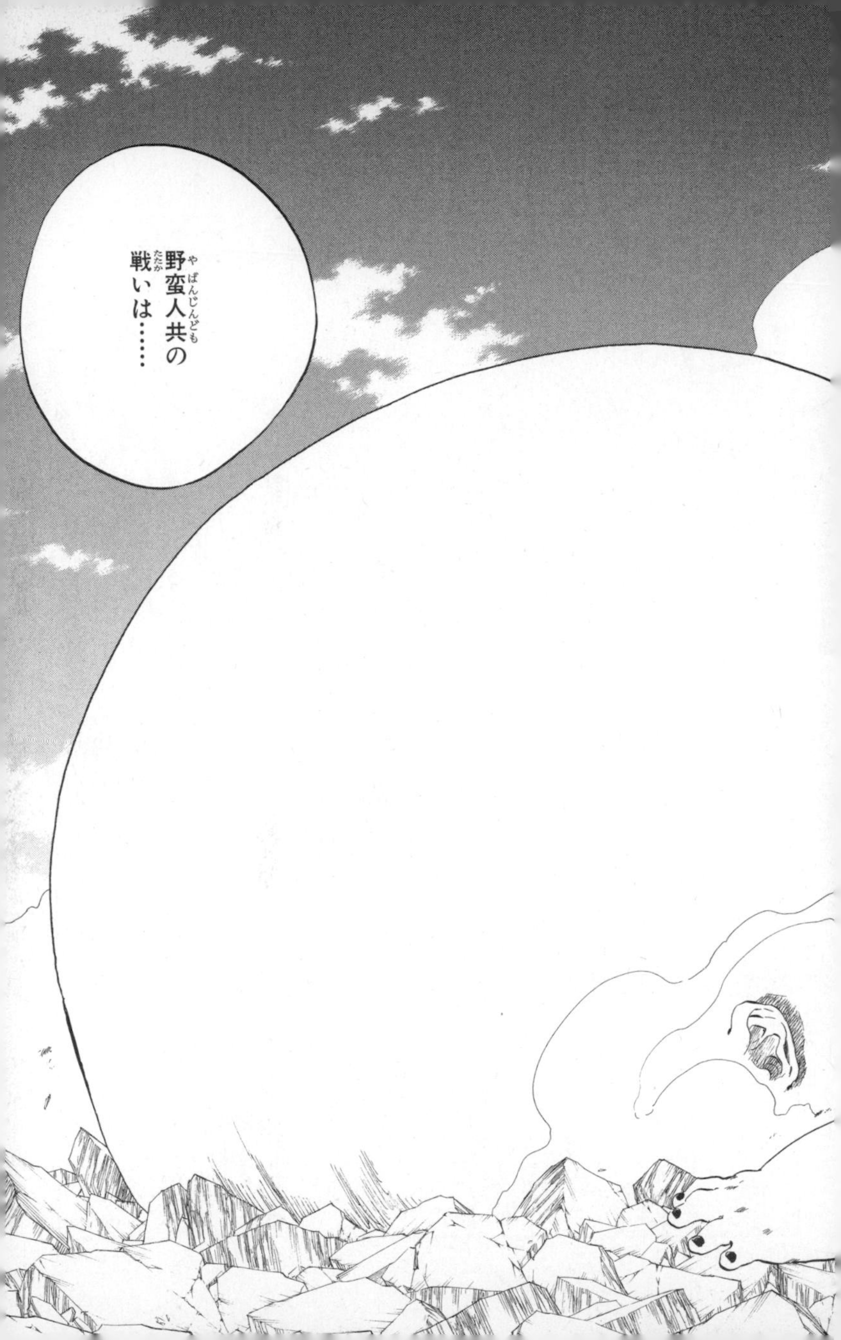
野蛮人共《やばんじんども》の戦《たたか》いは……

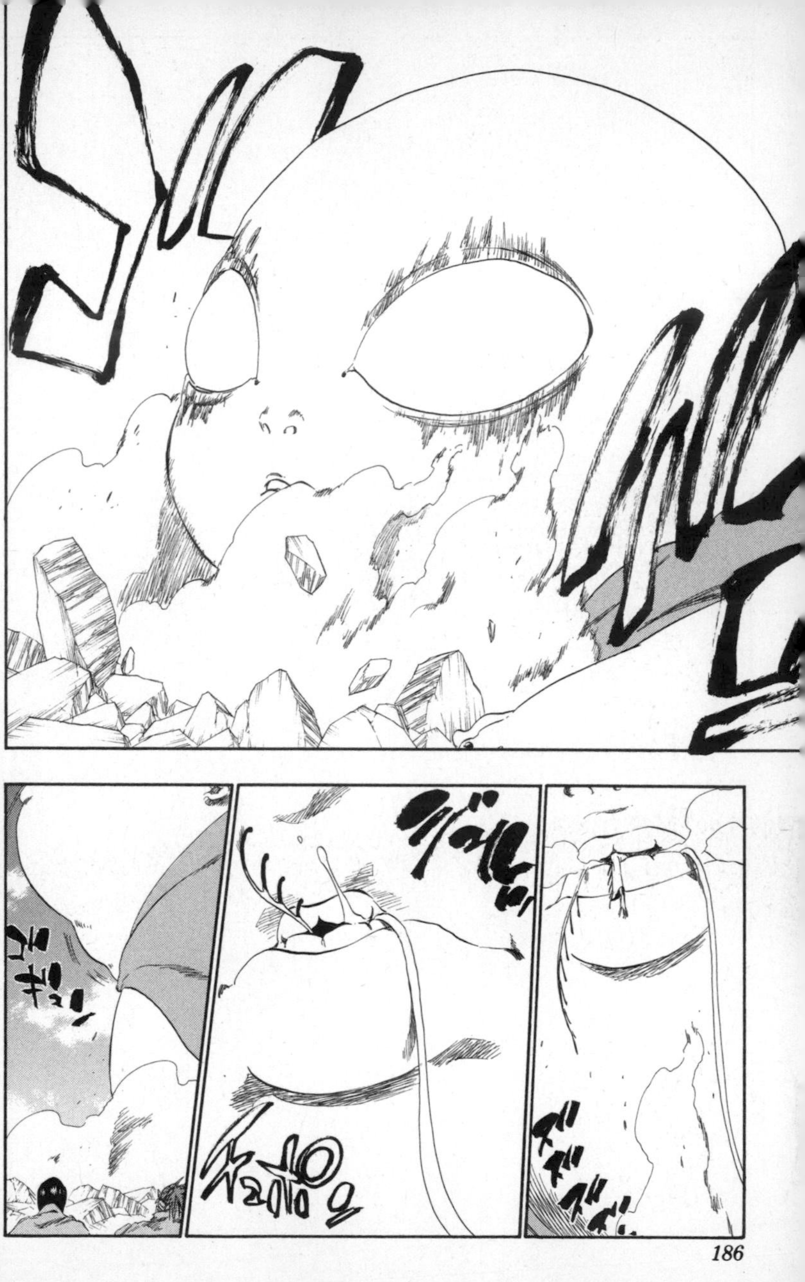
ゴギュン
ズズズズ

ゲェ〜〜ップ
…喰《く》われた…
ボッ
ボッ
阿散井《あばらい》！君《きみ》も毒《どく》にやられてるぞ!!
なに…
うぶっ!?
な…
なんでテメエは平気《へいき》なんだ…!?
僕《ぼく》は一度《いちど》あの霧《きり》にやられてる！
恐《おそ》らく抗体《こうたい》ができてるんだ！
そんな事《こと》より早《はや》く解毒剤《げどくざい》を！
おい！涅《くろつち》マユリ!!
ボッ
ボボッ
がはっ!!!
石田《いしだ》あ――!!!
ゴバッ
何《なに》を呑気《のんき》な事《こと》を言《い》っているんだネ
毒《どく》の配合《はいごう》など一回《かい》ごとに変《か》えるのが常識《じょうしき》だヨ
こ…
この野郎《やろう》…！

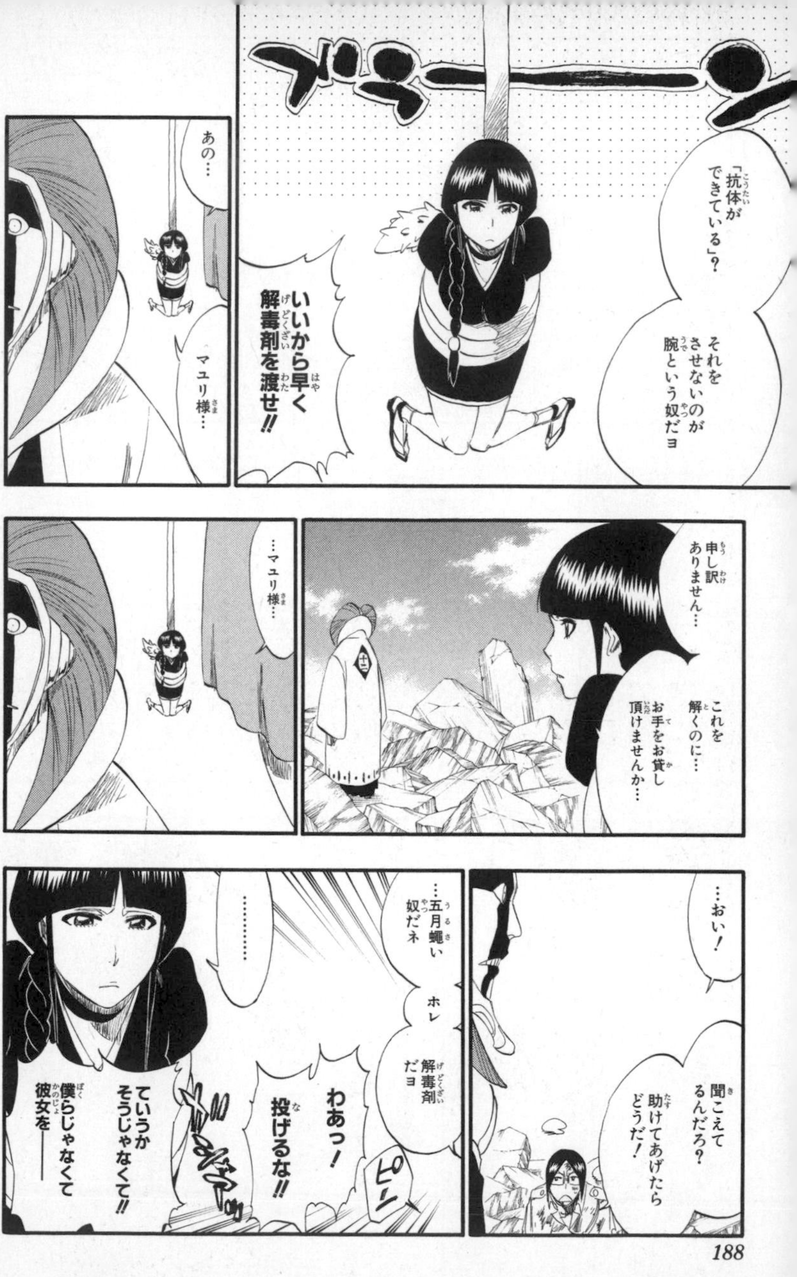
ブラーン
「抗体《こうたい》ができている」？
それをさせないのが腕《うで》という奴《やつ》だヨ
いいから早《はや》く解毒剤《げどくざい》を渡《わた》せ!!
マユリ様《さま》…
あの…
申《もう》し訳《わけ》ありません…
これを解《と》くのに…お手《て》をお貸《か》し頂《いただ》けませんか…
…マユリ様《さま》…
…おい！
聞《き》こえてるんだろ？助《たす》けてあげたらどうだ！
…五月蠅《うるさ》い奴《やつ》だネ
ホレ
解毒剤《げどくざい》だヨ
ピン
わあっ！
投《な》げるな!!
………
ていうかそうじゃなくて!!僕《ぼく》らじゃなくて彼女《かのじょ》を——

ゴ
ご
ぷ
う…
うあ…
何《なん》だ…
様子《ようす》が
変《へん》だぞ…！
ズル…
ズ…
グチュ…
あ…
ああ…
ああ……っ
あ…
おい！
涅《くろつち》マユリ!!
早《はや》くあの触手《しょくしゅ》を
解《ほど》いてやれ!!
ズチ…
あう…

あ
ブチ
ブチ
僕《ぼく》を殺《ころ》したと思《おも》ったか？

この声《こえ》…
ザエルアポロ…！
教《おし》えよう
この「邪淫妃《フォルニカラス》」の最《もっと》も重要《じゅうよう》な
最《もっと》も誇《ほこ》るべき能力《のうりょく》の名《な》は
〝受胎告知《ガブリエール》〟
敵《てき》に僕自身《ぼくじしん》を孕《はら》ませる
能力《のうりょく》だ
臍《へそ》から体内《たいない》に侵入《しんにゅう》し
うっ
ズッ
内臓《ないぞう》に〝卵《たまご》〟を産《う》みつける
産《う》みつけた〝卵《たまご》〟は母体《ぼたい》の全《すべ》てを奪《うば》って急速《きゅうそく》に成長《せいちょう》し
はっ
はっ
やがて
…マ…
母体《ぼたい》を死《し》に至《いた》らしめ
マユ…リ…さ…
…ま…

生誕《せいたん》の時《とき》を
迎《むか》える
ビチャ…
ズ!…
ヌチュ…ン
…さて

自己紹介《じこしょうかい》から
やり直《なお》そうか
涅《くろつち》
マユリ
…ホウ

スクープ!!
死んだ!?
かも!?
ネルの飛んでった意識から見た世界
何その顔ー!?
信用してないの!? それとも信用したけどくだらねーと思ってる顔!?
ネエミンらが最低だと思ってるカオッス
ひどい!!
…本題に入らないまま終わっていくでヤンス…
ちなみにこのコーナーは気絶したネルが戦ってる隊長たちを見たリアクションが描かれる予定でした。
まさかこんなことになろうとは…

理解《りかい》できているか？
涅《くろつち》マユリ
ズル…ッ…
僕《ぼく》はこうして
敵《てき》に自分自身《じぶんじしん》を孕《はら》ませる事《こと》で
常《つね》に新《あら》たな存在《そんざい》へと生《う》まれ変《か》わり続《つづ》ける
不死鳥《ふしちょう》と呼《よ》ばれるフェニックスは
老《お》いると自《みずか》ら炎《ほのお》の中《なか》に身《み》を投《な》げ
その炎《ほのお》の中《なか》から新《あら》たな生命《せいめい》として生《う》まれ変《か》わるという

305. The Rising Phoenix

解《わか》るか
不死《ふし》とは
完全《かんぜん》とは
そう言《い》う事《こと》だ
死《し》を超越《ちょうえつ》するのでは無《な》く
死《し》すらも自《みずか》らの
生命《せいめい》の循環《じゅんかん》に
取《と》り込む
〝死《し》〟というものに
自《みずか》らの存在《そんざい》を
分断《ぶんだん》されない
死《し》と再生《さいせい》を間断無《かんだんな》く繰《く》り返《かえ》す
僕《ぼく》のような存在《そんざい》をこそ！
「完璧《かんぺき》な
生命《せいめい》」と言《い》う！

僕《ぼく》の前《まえ》に
死《し》という終焉《しゅうえん》は存在《そんざい》しない
お前《まえ》が僕《ぼく》を殺《ころ》しても完全《かんぜん》な死《し》の前《まえ》に僕《ぼく》は蘇《よみがえ》る
理解《りかい》しろ
僕《ぼく》を殺《ころ》す事《こと》のできないお前《まえ》に
永久《えいきゅう》に勝利《しょうり》が訪《おとず》れる事《こと》は無《な》いんだ
涅《くろつち》マユリ

BLEACH305. The Rising Phoenix

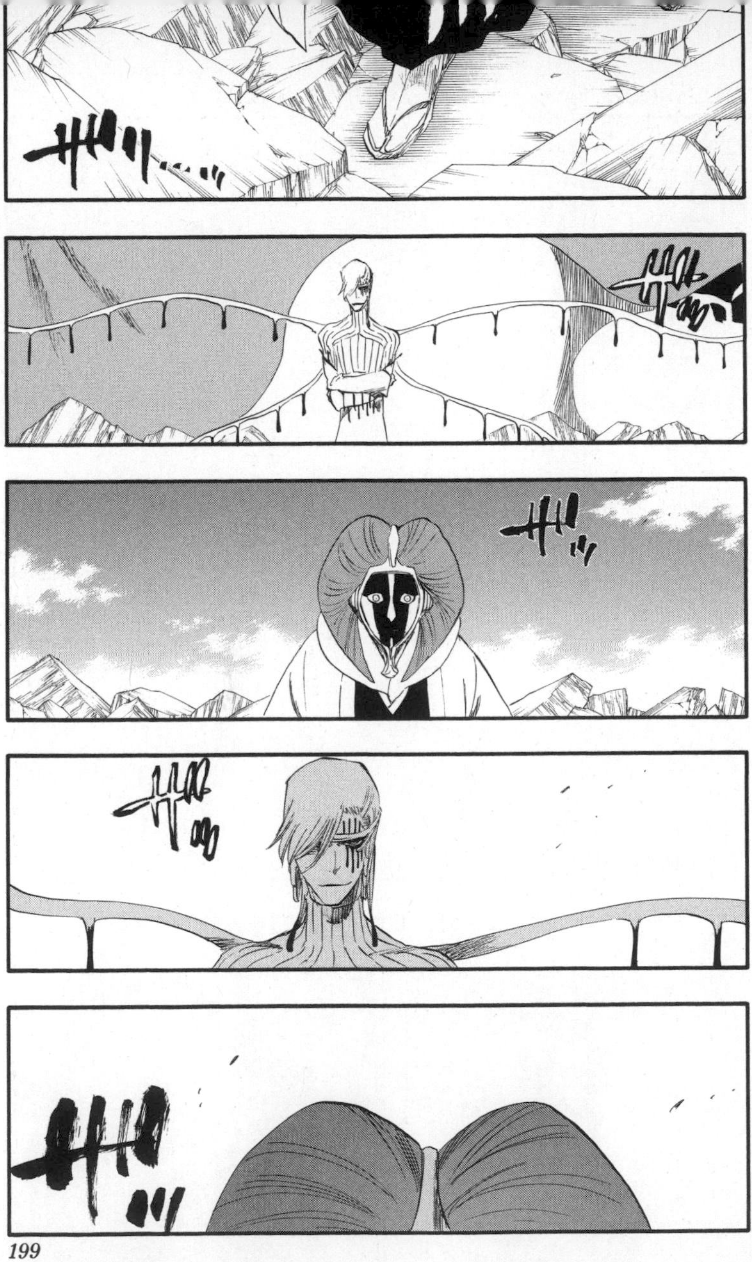
ザリ…ッ
ザッ
ザッ
ザッ
ザッ

はーっ…
はーっ…
……マ…
…マユ…
リ……
…さま…

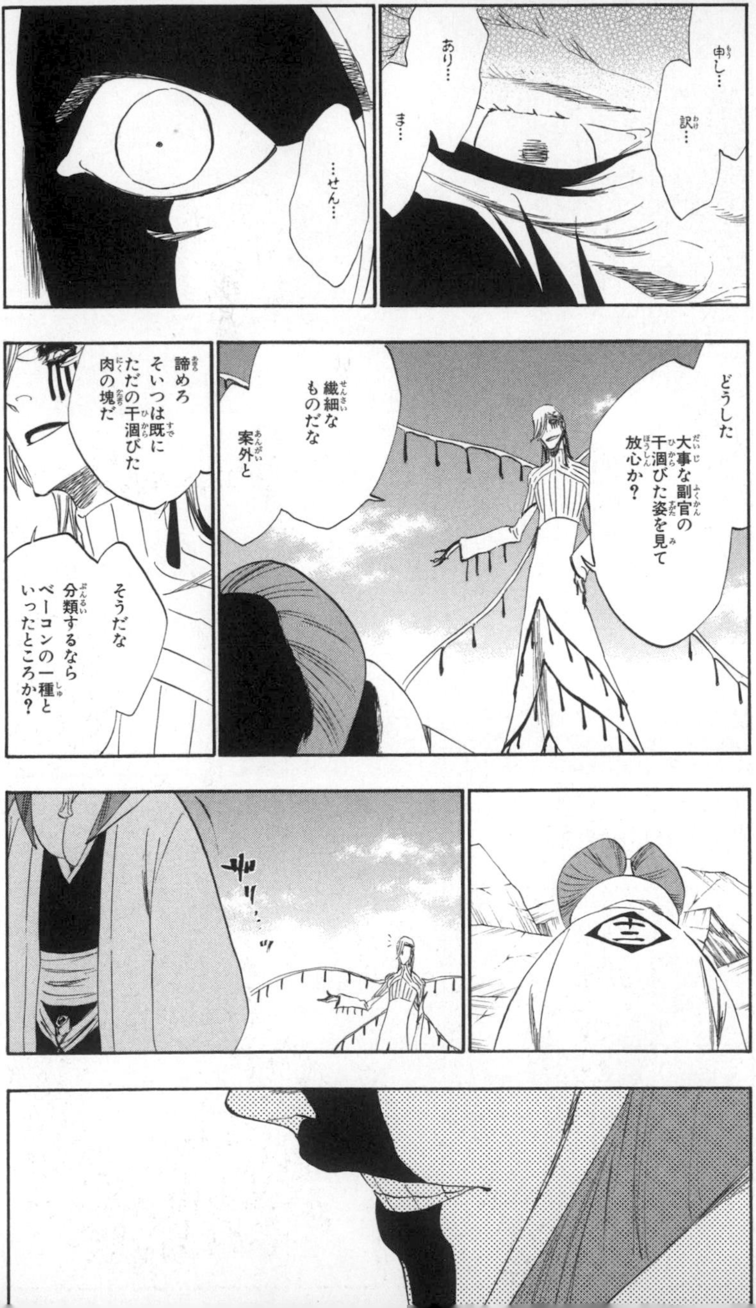
申《もう》し…
訳《わけ》…
あり…
ま…
…せん…
どうした
大事《だいじ》な副官《ふくかん》の
干涸《ひから》びた姿《すがた》を見《み》て
放心《ほうしん》か？
案外《あんがい》と
繊細《せんさい》な
ものだな
諦《あきら》めろ
そいつは既《すで》に
ただの干涸《ひから》びた
肉《にく》の塊《かたまり》だ
そうだな
分類《ぶんるい》するなら
ベーコンの一種《しゅ》と
いったところか？
ザリ…ッ

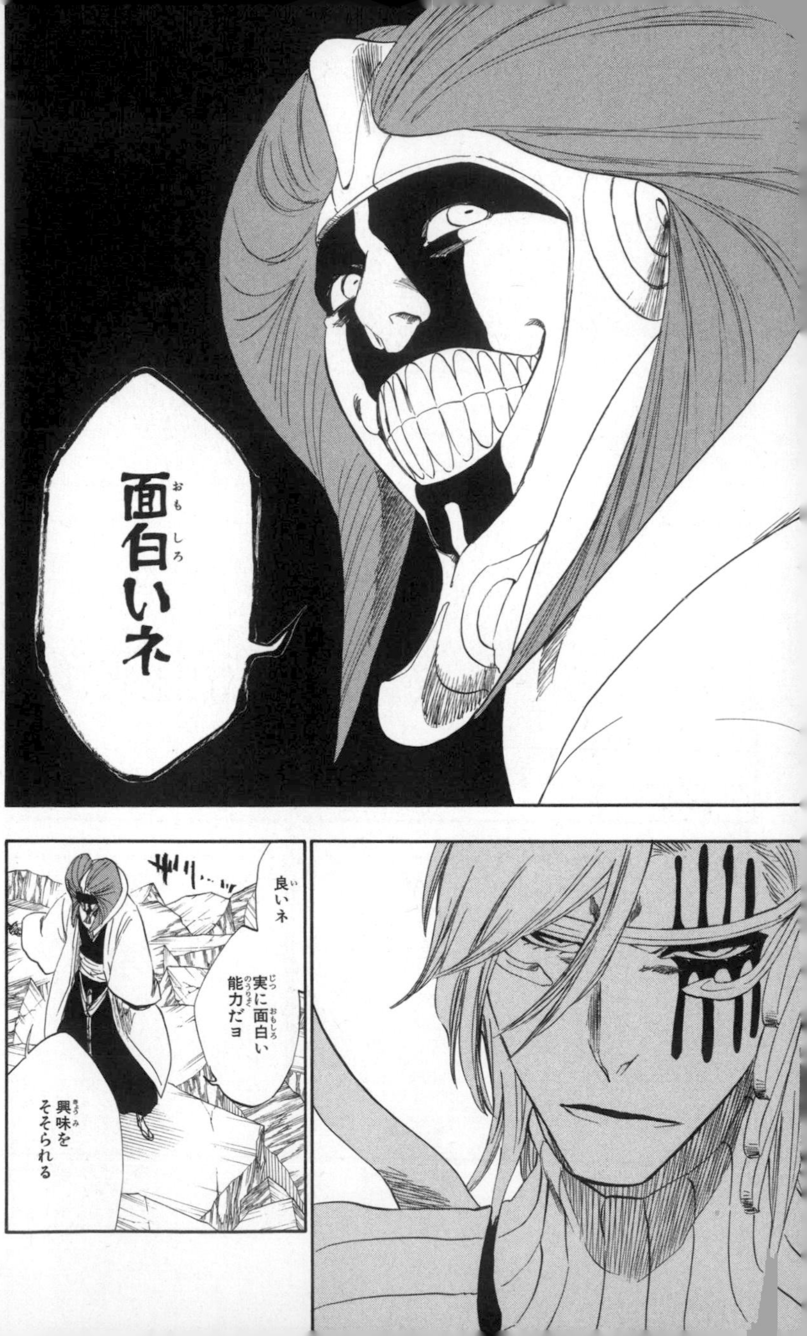
面白《おもしろ》いネ
ザリ…ッ
良《い》いネ
実《じつ》に面白《おもしろ》い能力《のうりょく》だョ
興味《きょうみ》をそそられる

で
これだけかネ？
…何《なに》？
これだけじゃ
ないんだろう？
〝完璧《かんぺき》な生命《せいめい》〟
とまで言《い》うんだ
まだ何《なに》か
隠《かく》している能力《のうりょく》が
あるんだろう？
エ？
何《なん》だヨそんな
難《むずか》しい顔《かお》して
良《い》いじゃアないか
減《へ》るもんじゃ無《な》し
ケチケチせずに
見《み》せ給《たま》えヨ
ホラ！

クハハハハハハッ!!!
僕《ぼく》の本体《ほんたい》を
食《く》った奴《やつ》が
まともでいられると
思《おも》うか?
僕《ぼく》の肉体《にくたい》は
喰《く》われると融解《ゆうかい》し
神経《しんけい》に侵入《しんにゅう》する!
お前等《まえら》の斬魄刀《ざんぱくとう》の
構造《こうぞう》は知《し》らないが
駆動中枢《くどうちゅうすう》さえ
支配《しはい》してしまえば
構造《こうぞう》など関係無《かんけいな》い!
卍解《ばんかい》といえど
僕《ぼく》の意《い》のままだ!!

呪《のろ》え!!!
自《みずか》らの卍解《ばんかい》が
生物《せいぶつ》の姿《すがた》を
していた事《こと》をな!!
ゴッ
!?

…………
…な……!?
…ヤレヤレ…
道具《どうぐ》が主人《しゅじん》に盾付《たてつ》いて…
無事《ぶじ》で済《す》むと思《おも》うのかネ

万一《まんいち》私《わたし》に噛《か》み付《つ》いたら
自滅《じめつ》するように改造《かいぞう》してあるヨ
…どうやらこれ以上《いじょう》目新《めあたら》しい能力《のうりょく》は無《な》さそうだネ
それじゃア最後《さいご》に一《ひと》つ
私《わたし》の新薬《しんやく》の被検体《ひけんたい》になって貰《もら》おうかネ
!
そう身構《みがま》えなくていいヨ

既《すで》にその薬《くすり》は
投《とう》薬《やく》済《ず》みだ
な…？
何《なん》だ!? 今言葉《いまことば》が──…
ネムの体内《たいない》には常《つね》に幾《いく》つか薬を仕込《しこ》んである
ネムを喰《く》うか体内《たいない》に侵入《しんにゅう》すればそいつに投薬《とうやく》できるようにネ
何《なん》だ!!
一体何《いったいなん》の薬《くすり》だ!!
今回君《こんかいきみ》が〝卵《たまご》〟とやらを産《う》みつけた場所《ばしょ》に仕込《しこ》んでおいたのはこれだヨ
安心《あんしん》し給《たま》え毒薬《どくやく》なんかじゃア無《な》い
そうだネ
〝超人薬《ちょうじんやく》〟とでも言《い》っておこうか

達人同士《たつじんどうし》の戦《たたか》いで
〃剣《けん》が止《と》まって見《み》える〃などと言《い》う事《こと》があるだろう？
時間感覚《じかんかんかく》の延長《えんちょう》だ
感覚《かんかく》が極限《きょくげん》まで研《と》ぎ澄《す》まされると稀《まれ》にああした現象《げんしょう》が起《お》こる
これはその状態《じょうたい》を強制的《きょうせいてき》に引《ひ》き起《お》こす薬《くすり》だヨ
つまり
誰《だれ》でも簡単《かんたん》に〃超人《ちょうじん》の感覚《かんかく》〃を手《て》に入《い》れられる薬《くすり》という訳《わけ》だ
何《なん》だこれは…
理解《りかい》できているかネ？
十刃《エスパーダ》
この薬《くすり》を使《つか》えば幼児《ようじ》の目《め》にも銃弾《じゅうだん》が止《と》まって見《み》える
超人《ちょうじん》となった君《きみ》には
「常人《じょうじん》」である私《わたし》の動《うご》きはさぞかし緩慢《かんまん》で退屈《たいくつ》な事《こと》だろうネ
言葉《ことば》が…
遅《おそ》すぎて聞《き》き取《と》れない…
さて

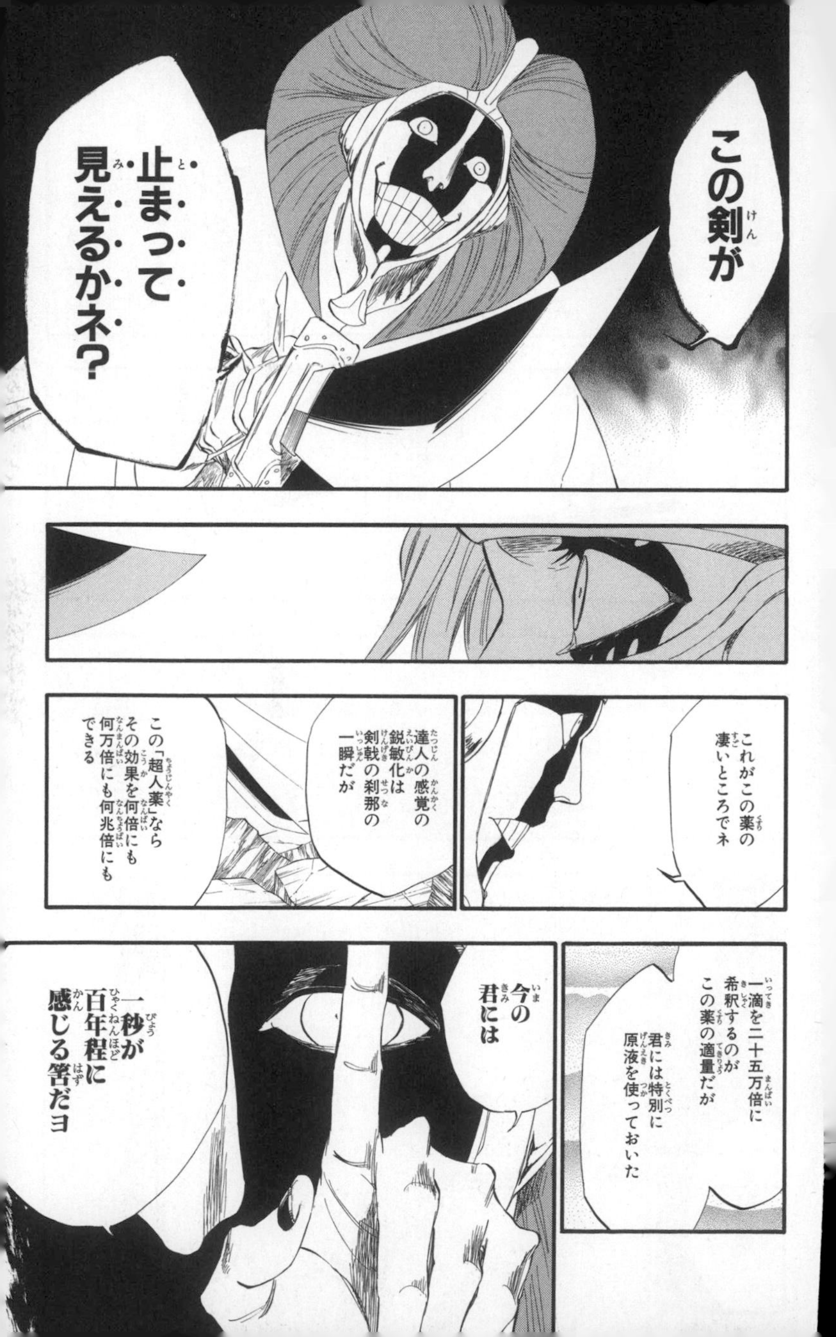
この剣《けん》が
止《と》まって見《み》えるかネ？
これがこの薬《くすり》の凄《すご》いところでネ
達人《たつじん》の感覚《かんかく》の鋭敏化《えいびんか》は剣戟《けんげき》の刹那《せつな》の一瞬《いっしゅん》だが
この「超人薬《ちょうじんやく》」ならその効果《こうか》を何倍《なんばい》にも何万倍《なんまんばい》にも何兆倍《なんちょうばい》にもできる
一滴《いってき》を二十五万倍《まんばい》に希釈《きしゃく》するのがこの薬《くすり》の適量《てきりょう》だが
君《きみ》には特別《とくべつ》に原液《げんえき》を使《つか》っておいた
今《いま》の君《きみ》には
一秒《びょう》が百年程《ひゃくねんほど》に感《かん》じる筈《はず》だヨ

つまり
この剣《けん》がこうして君《きみ》に近付《ちかづ》く様子《ようす》が
超人《ちょうじん》たる君《きみ》の感覚《かんかく》では数百年《すうひゃくねん》の永《なが》きに渡《わた》る緩《ゆる》やかな動《うご》きに見《み》える訳《わけ》だヨ
素晴《すば》らしい
そして〝超人《ちょうじん》たる〟感覚《かんかく》に対《たい》し
〝超人《ちょうじん》たり得《え》ぬ〟肉体《にくたい》は恐《おそ》ろしい程《ほど》に遅《おく》れを取《と》る
超絶的《ちょうぜつてき》に研《と》ぎ澄《す》まされた感覚《かんかく》が捕《とら》える『動《うご》き』に肉体《にくたい》が置《お》いてけぼりを喰《く》らう図式《ずしき》だヨ
辛《かろ》うじて手《て》で止《と》めようとも
その手《て》を刃《やいば》が貫《つらぬ》く感覚《かんかく》を
ズブ…
君《きみ》が知《し》るのは百年後《ひゃくねんご》
まァ
こうして話《はな》したところで
この言葉《ことば》が君《きみ》に届《とど》くのも
果《はた》していつになることやら
まァ
焦《あせ》る事《こと》は無《な》い
私《わたし》の刃《やいば》が百年《ひゃくねん》かけて
君《きみ》の心臓《しんぞう》を貫《つらぬ》く感覚《かんかく》を
ズ…
滴《したた》る体液《たいえき》が砂《すな》になるまで
ゆったりじっくり味《あじ》わい給《たま》え
さて
それでは

34 KING OF THE KILL（完）

CONTI
NUED
ON
BLEACH
35